KB142255

한 걸음 한 걸음
최고의 프로페셔널로 거듭나는
당신을 응원합니다.

_____ 님께

_____ 드림

비매품

프로는 일에 대한 개념부터 다르다!

회사 개념어 사전

샘플북

| 류랑도 지음 |

개념의 이해가 성과를 좌우한다

'개념 연예인', '지하철 무개념녀'… 요즘 인터넷 검색어 순위를 살펴보면 '개념'과 관련된 이야기들이 드물지 않게 상위권에 랭크되는 것을 볼 수 있다. 시구하러 야구장에 온 여자 연예인이 짧은 치마에 하이힐이 아닌 바지에 운동화를 신고 와 '개념 시구녀'라는 칭찬을 듣는가 하면, 지하철에 탄 맹인안내견에 욕설을 한 여대생의 개인정보가 '무개념녀 신상'이라며 모조리 공개되기도 한다.

개념이란 과연 무엇일까? 개념概念의 사전적 의미는 크게 2가지다. 첫 번째, 어떤 사물과 현상에 대한 일반적인 지식 혹은 구체적인 사실들로부터 귀납하여 일반화한 사람들의 생각이고, 두 번째는 판단의 결과로 얻어지며 판단을 성립시키는 것으로, 인간의 사고는 개념으로 이루어진다고 되어 있다.

개념에 대한 첫 번째 정의는 일반적으로 사물이나 현상의 개괄적 뜻을 말할 때 쓰인다. 예를 들어 대여섯 살 먹은 조카가 삼촌에게 "삼촌, 호미가 뭐야?"라고 물었을 때 "아, 그건 농사일을 할 때 쓰는 도구인데, 이러이러한 모양이야"라고 답했을 경우, 종합적인 하나의 관념으로서 개념을 설명한 것이다. 반면 두 번째 정의는 첫 번째 정의, 즉 개괄적인 의미를 제대로 알고 있어야 가능한 사고思考와 판단 행위를 가리킬 때 사용한다. 예를 들어 지하철에서 발을 밟고도 그냥 가버리는 사람을 보고 친구에게 "저 사람, 참 이상한 사람이네. 개념이 없어"라고 이야기했을 때는 첫 번째 정의에서 말하는 기본적인 개념을 잘 이해하고 있지 못할 뿐 아니라, 그에 따라 잘못된 판단과 그릇된 행동으로 연결된 것을 함께 지적한 것이다.

그런데 일하다 보면 의외로 우리 주위에 소위 '무개념 남녀'가 많이 눈에 띈다. 나 자신이나 내 동료, 우리 조직 사람들의 면면을 자세히 들여다보자. 생각보다 많은 사람들이 회사에서 일하는 데 필요한 개념을 제대로 이해하지 못해, 올바른 판단과 의사결정을 종종 그르치는 것을 알 수 있다. 부서를 책임지는 리더가 재무제표의 정확한 의미와 사용법을 모른다든지, 연차가 쌓여 대리로 승진한 사람이 상식 수준의 개념을 낯설어하는 경우도 많다. 더 심각한 것은 이제 갓 조직에 입문한 젊은 신입사원들일수록 조직의 기본에 관련된 개념에 취약하고, 심지어 별 필요가 없다고 생각한다는 사실이다. 그러나 그렇지 않다. 회사와 관련된 개념을 정확히 알고 이를 공유한다는 것은 우리가 생각하는 것 이상으로 매우 중요하다.

예를 들어보자. 어느 사무실에서 팀장과 팀원들이 모여 팀회의를 진행하고 있다. 새로 진행해야 할 프로젝트에 대해 이것저것 한참 이야기한 팀장이 팀원들에게 확인하듯 재차 묻는다.

"내가 지금 한 이야기가 무슨 말인지 알겠어요? 김 대리, 어떻게 해야 되는지 머릿속에 그림이 좀 그려집니까?"

팀장 입장에서는 자신의 머릿속에 떠오른 아이디어들을 모두 다 알아들을 수 있도록 최대한 개념화해 팀원들에게 전달했다고 생각할 것이고, 팀원들도 팀장의 말을 열심히 듣고 나름대로 이를 개념화해 받아들인 후, 자신이 해야 할 일은 무엇인지 생각할 것이다.

이때 개념은 팀장의 생각을 담는 그릇이다. 또한 팀원들의 생각을 담는 그릇도 된다. 팀장과 팀원이 한 방향을 바라보며 같은 그릇에 생각을 담으면 효과적이고 부드러운 커뮤니케이션을 할 수 있지만, 만약 서로 다른 그릇에 담는다면 시작부터 부딪혀 삐걱거릴 뿐 아니라, 생성되는 아웃풋 또한 원하는 수준에 미치지 못할 가능성이 높다. 개념을 정확히 인식한다는 것은 소통의 주체가 되는 양 당사자가 같은 방법과 경로로 사물과 현상에 대해 이성적이고 합리적으로 접근할 수 있도록 하는 효용이 있다.

회사에서 성과창출의 성패는 결국 자신이 갖고 있는 개념의 범위, 사고의 크기에 비례한다. 그러므로 어떤 위치에 있든 반복적으로 높은 성과를 창출하기 위해서는 생각의 힘, 고민의 힘을 키워야 한다.

이 책은 회사에 몸담고 있는 사람들이 경영활동의 기본을 파악하고 성과를 창출하기 위해 필수적으로 알아야 할 개념을 이해할 수 있도록 돕기 위해 쓰였다. 어떻게 하면 개념 있는 회사원으로서 자신의 성과책임을 바탕으로 '자기완결적 자율책임경영을 할 수 있을까'에 대한 고민과 문제의식에서 출발해, 이를 해결할 수 있는 가장 기초적인 생각의 인프라를 구축하는 데 초점을 맞춰 구성하고자 했다.

또한 이 책은 단순한 '용어 사전'이 아닌 '개념어 사전'을 지향하고 있다. 용어用語가 대상의 개념 설명에 그치는 데 반해, 개념어概念語는 개괄적 의미로서의 대상의 개념을 설명할 뿐 아니라 이를 입체적이고 실질적으로 이해해 판단하게 해준다. 또한 개념어는 단어의 개념을 효용, 즉 가치 혹은 목적 중심으로 표현함으로써 관념을 걷어내고 보다 실용적으로 적용할 수 있게 만들어준다. 그러므로 용어는 이해의 대상이지만, 개념어는 이해를 넘어 실천의 대상이 된다. 이 책에서는 개념어를 단순히 설명하는 수준을 넘어, 스스로 개념을 정립하고 이를 바탕으로 사고하고 판단하고 행동할 수 있도록 돕고 있다.

회사 구성원의 존재 이유는 '성과를 창출하는 것'이므로, 이 책에서는 회사에서 필요한 여러 용어 중에서도 성과에 포커스를 맞추어 개념어들을 정의했다. 그리고 각각의 개념어가 회사에서 실질적으로 지니는 의미를 쉽고 간결하게 사례 중심으로 풀어내 기초부터 차근차근 쌓아올릴 수 있도록 했다. 또한 함께 쓰이거나 쉽게 혼동될 수 있는 단어들은 묶어서 설명해 좀 더 명쾌하게 이해할 수 있도록 의도했다. 따라서 이 책을 읽을 때 무조건 외우거나 이해하려고 하기보다 몇 줄이라도 스스로 개념에 대해 정의해보고, 그다음에 책을 보고 비교해서 이해하면 훨씬 유익할 것이다.

개념과 원리에 강한 사람들은 문제가 변형되거나 다른 복잡한 요인들이 섞이더라도 기본에 충실한 논리구조를 바탕으로 거뜬히 풀어내곤 한다. 골프나 수영 같은 운동도 이와 비슷하다. 가장 중요한 것은 기본기다. 스타플레이어의 현란한 응용기술은 모두 탄탄한 기본기를 바탕으로 한다. 기본기를 얼마나 꾸준하고 튼실하게 잘 쌓았느냐 하는 것은 반짝 스타로 끝날 것인가, 자신의 분야에서 일가를 이루는 전문가나 더 나아가 대가로 발전할 것인가를 판가름하는 핵심 요소가 된다.

회사에서도 마찬가지다. 업무를 수행할 때 그 개념을 명확히 이해하는 것은, 성과를 창출하는 데 필요한 사고와 판단의 틀을 탄탄히 갖추는 기본 과정이다. 나아가 이를 폭넓게 활용하고 순발력 있게 응용하며 나만의 필살기를 만드는 기반을 다질 수 있다.

예전에 보았던 〈아마존의 눈물〉이라는 명품 다큐멘터리가 생각난다. 지구 최대의 열대우림 아마존은 700만㎢가 넘는 광활한 밀림, 7,000㎞를 넘나드는 끝없는 강이 인상적인 곳이다. 그 뜨거운 열대를 누비며, 현대 문명의 눈으로는 상상조차 못할 지구의 원시적이고 낯선 모습을 담아내 시간가는 줄 모르고 시청했던 기억이 있다.

어느 날 문득 내게 낯선 시선으로 다가와 숨이 멎는 풍경으로 비밀의 세계를 열어주었던 이 다큐멘터리처럼, 많은 직장인들이 이 책을 통해 새로운 눈으로 현상을 바라보게 되고, 새로운 생각을 만나는 즐거움을 느끼고, 궁극적으로 본인이 원하는 성과를 창출하게 되기를 기대한다.

안국동 협성재에서

류랑도

차례

목적을 알면 성과가 보인다

회사란 어떤 곳인가

'인격수양'과 '행복창조'의 공간이다

근무하고 있는 회사에 대해 당신은 얼마나 제대로 알고 있는가? 내가 속한 조직의 속성과 기본 메커니즘을 정확히 파악해야 구성원으로서 해야 할 일을 확실히 알 수 있고, 조직이 추구하는 방향을 향해 함께 나아갈 수 있다. 여러 조직 중에서도 특히 회사는 개인이 일을 통해 자신의 비전을 펼칠 수 있다는 점에서 종교 단체나 친목 조직보다 훨씬 더 큰 의미를 갖는다.

한마디로 회사會社는 '사람들이 일을 통해 가치를 창출하기 위해 모인 곳'이다. 우리가 회사를 어떻게 이해하고 그 개념을 어떻게 받아들이느냐에 따라 과연 내가 회사에서 수행하는 일의 의미가 무엇인지, 그리고 일을 통해 어떠한 가치를 추구해야 하는 것인지에 대한 태도를 결정하는 데 지대한 영향을 미친다. 따라서 회사의 의미를 제대로 이해하고 정확히 안다는 것은 결과적으로 '어떻게 하면 회사에서 보람되고 행복하게 일함으로써 가치를 창출할 수 있을까'에 대한 단초를 제공해준다.

예전부터 동양문화, 특히 농경문화의 전통 아래 있었던 우리나라에서는 일을 '사람이 사람답게 살아가기 위한 존엄한 행위'로 보는 시각이 지배적이었다. 이에 기반해보면 회사나 일터라는 공간적 의미를 휴식공간인 집과 엄격하게 구분하고, 나아가 회사 구성원들이 자신이 몸담고 있는 조직을 얼마나 올바르게 인식하고 있느냐가 회사의 성과를 좌지우지할 만큼 중요한 요소로 여겨진다.

이러한 측면에서 보았을 때 회사는 무엇보다도 '사업을 하는 곳'이라고 인식해야 한다. 회사는 마치 거대한 벤처타운과도 같다. 회사는 사업을 하는 데 필요한 자원, 즉 자본, 인력, 시설 등을 지원하고 역량 있는 구성원들을 사업 파트너로 초빙해 비즈니스를 한다.

비즈니스하는 사람, 사업하는 사람은 단순히 시간만 대충 때워서는 안 된다. 할 일이 없다고 마냥 놀 수도 없다. 사업을 하는 사람은 어떤 형태로든 부가가치를 창출해야 이익을 낼 수 있으므로, 시간을 쪼개 어떻게 하면 더 많은 부가가치를 만들 수 있을지 고민하고 실천해야 한다. 회사가 그저 내가 다니기만 하면 돈을 받을 수 있는 생계 수단이 아니라, 나의 비전을 실현할 수 있는 사업을 하는 곳이라고 여겨야 한다. 그럴 때 회사는 내가 원 없이 일해 가치를 창출하는 곳이라는 생각을 명확히 할 수 있다.

회사를 단순히 왔다 갔다 하는 곳이라고 생각하는 사람은 학교에 그저 졸업장을 따기 위해 다니는 학생과 같다. 반면 회사는 사업을 하는 곳이라고 생각하는 사람은 학교는 실력을 기르고 앞으로 살아갈 인생을 준비하는 곳이라고 생각하는 사람이다. 학교에서 졸업장 이상의 많은 지식과 경험들을 얻을 수 있듯, 회사에서 급여는 지극히 당연한 보상일 뿐 성취감이나 자존감, 자기계발 등을 통해 그보다 훨씬 더 큰 직간접적인 동기부여 효과를 얻을 수 있다.

또 하나 생각해봐야 할 것은 회사는 '자신의 인격을 수양하는 곳'이라는 점이다. 일본의 '살아 있는 경영의 신'이라고 불리는 이나모리 가즈오는 그의 저서에서 인격 수양을 위한 수련장으로서의 회사에 대해 설파한다. 가정이나 종교 단체에서도 물론 인격을 수양할 수 있다. 그러나 회사만큼 적합한 장소는 없다. 서로 다른 사람들이 모여 공동의 목적을 위해 함께 일하는 공간이기 때문이다. 나와 다른 배경과 지식, 성격과 기질을 가지고 있는 사람과 더불어 조직이 추구하는 공통된 방향을 향해 나아가며 성과를 창출하는 과정은 나의 장점을 살리고 단점을 보완해 내면의 그릇을 키우는 절호의 기회가 된다.

또한 회사는 궁극적으로 '행복을 창조하는 곳'이다. 무엇이 행복인가에 대해서는 각자 생각의 차이가 있겠지만, 사람은 누구나 행복을 원하고 행복을 위해 살아간다. 회사는 고객의 행복을 창조하고 나아가 사회의 행복을 창조하는 곳이다. 고객과 사회의 행복을 창조하기 위해서는 우선 구성원들의 행복이 전제돼야 한다. 이렇게 말하면 회사가 구성원들의 행복을 위해 노력해야 한다고만 생각하겠지만, 동시에 구성원들도 자신의 행복을 창조하기 위한 노력을 회사의 미션과 비전에 연계해 추구해야 한다. 자신이 어떻게 하느냐에 따라 회사를 통해 자아실현 욕구를 차근차근 충족시킬 수도 있고, 그렇지 못할 수도 있다.

그럼에도 현실을 보면 회사를 불행하고 재미없게 다니는

사람들이 적지 않다. 자신이 하는 일의 의미와 보람을 느끼지 못하고 그저 생계를 위한 수단으로 마지못해 다니는 사람에게 '회사가 행복을 창조하는 곳'이라고 말해보라. "말도 안 되는 소리!"라고 코웃음을 칠 것이다. 그러나 회사는 행복을 창조하는 공간이어야 하고, 또한 충분히 그러한 공간일 수 있다. 회사를 행복을 창조하는 곳으로 인식할 때, 일하면서 부딪히는 어려움을 극복할 힘이 생기고 일을 통해 참다운 성취감을 만끽할 수 있다.

이 모든 것에 더해, 회사란 결국 '이윤을 추구하는 곳'이다. 회사는 재화나 서비스를 만들어 고객에게 제공함으로써 이윤을 창출해야만 지속적으로 성장할 수 있다. 따라서 이윤추구는 회사의 당연한 의무이자 권리다.

성인이 사회 구성원으로서 제 몫을 하기 위해서는 경제적인 역량을 갖추어야 한다. 그런데도 계속해서 부모나 주위 사람들에게 손을 벌리고 다닌다면 그 사람을 칭찬하는 사람은 거의 없을 것이다. 회사도 마찬가지다. 회사가 이윤을 창출하지 못하면 다 큰 성인이 돈을 벌지 못하는 것처럼 동가숙서가식東家宿西家食하거나 문을 닫을 수밖에 없다. 1997년 외환위기 때 수십조 원의 공적 자금이 대기업에 투입됐던 것처럼, 이윤을 창출하지 못하는 회사는 사회에 기여하기는커녕 오히려

해악을 끼치게 된다.

중요한 것은 궁극적으로 고객이 원하는 가치를 제공하도록 최선을 다하는 것이 회사가 이윤을 추구하는 가장 좋은 방법이라는 것이다. 또한 겉으로 보이는 사회공헌 활동이나 내부적인 정직과 신용 이전에 올바른 방법으로 올바른 이윤을 창출하려는 자세가 전제돼야 한다. 회사나 조직이 부정을 저지르지 않고 올바른 방법으로 정직하게 돈을 벌어 올바르게 사용함으로써 사회에 건강한 영향을 줘야 하는 것처럼, 회사를 다니는 구성원들도 당연히 그런 생각과 관점을 지향해야 한다.

사람이 회사를 만들고, 회사는 사람을 만든다. 건전한 의식과 실력을 갖춘 사람들이 모여 멋진 회사를 만들듯이, 탁월한 회사가 그 구성원들을 더욱 훌륭하게 만드는 것이다. 회사와 구성원이 서로의 발전을 위해 도움을 주고받는 관계가 되기 위해서는 먼저 회사에 대한 의미와 중요성에 대해 올바른 개념을 가져야 할 것이다.

직원이란 누구인가

'종업원'이 아니라 '구성원'이다

한때 세상을 떠들썩하게 했던 모 그룹의 비리사건이 있었다. 정관계 로비를 통해 건설과 철강 업종을 중심으로 급속히 성장하던 이 그룹은 수많은 부실과 내·외부의 비리가 드러나 결국 해체됐고, 이는 1997년 외환위기의 요인 중 하나가 되기도 했다. 당시 이 그룹의 회장 J씨는 국회 청문회에 출석해 회사의 임직원들을 '머슴'이라고 지칭해 많은 이들의 공분을 샀다.

머슴은 '농가에 고용되어 그 집의 농사일과 잡일을 해주고

대가를 받는 사내'를 가리키는 순우리말로, 달리 표현하면 '종從'이다. 주인과 종의 개념은 전통적인 노사勞使의 개념, 일을 하는 사람과 일을 시키는 사람이라는 대립되는 개념을 근거로 한다. J씨의 발언은 자신과 자신의 가족이 회사의 주인이고, 나머지 임직원들은 모두 종이라고 생각하는 전근대적인 발상을 드러낸 것이다.

오늘날의 회사들은 대부분 '주식회사'다. 직원들이 회사의 주식을 소유하는 주주인 경우가 있는가 하면, 경영진인 CEO나 임원들도 회사로부터 급여를 받아 생활하는 경우도 많다. 이때 임원은 보통 이사급 이상의 경영진을, 직원은 임원이 아닌 부장급 이하의 실무진을 일컫는데, 임원과 직원은 신분상의 차이가 있기는 하지만 이 구분 역시 현실적으로는 모호한 경우가 많다.

임직원을 통칭하는 말로 흔히 '종업원從業員, employee'이라는 단어가 쓰인다. 예전보다는 많이 쓰이지 않지만, 공정거래법상 대기업과 중소기업을 구분하는 근거 중 하나로 '상시 종업원 수'라는 규정이 있는 등 아직도 종종 사용되고 있다. 종업원이란 '사업주 또는 위임받은 자와의 계약에 의해 특정 사업에 종사하는 자', 또는 '특정 사유로 인해 사실상 사업소에서 일정 기간 근무하지 않더라도 급여를 지급받는 사람'을 말하며, '종從'이라는 글자가 암시하듯 '종업원'이라는 단어에는 수직적 상하관계의 뉘앙스가 담겨 있다.

그 대체어로 등장한 것이 바로 '구성원構成員, associate'이다. 구성원이란 '어떤 조직이나 단체를 이루는 사람으로서 조직의 목표달성에 관여하는 주체'를 말한다. 구성원은 종업원과는 달리 조직을 구성하는 개인들의 독립성과 인격이 강조되는 말이다. 종업원은 시키는 대로 일하는 사람을 지칭하는 뉘앙스를 담고 있지만, 구성원은 스스로 알아서 일하는 사람을 가리킨다. 종업원은 주인이 있어야만 움직이지만 구성원은 주인이 없어도 움직이며, 나아가 모두가 주인이 되는 조직을 만드는 데 일조한다. 종업원은 수직적 관계를 내포하고 있지만 구성원이라는 관점은 수평적인 관계를 보여준다. 종업원은 수동적이지만 구성원은 능동적이다.

이처럼 종업원이나 구성원 모두 정신적, 육체적 노동력을 조직에 제공하는 대가로 급여를 받는 사람들을 가리키지만, 각 단어가 주는 뉘앙스와 숨은 뜻에는 엄청난 차이가 있다.

그렇다면 당신은 스스로를 회사의 '종업원'이라 생각하는가, '구성원'이라 생각하는가?

자신은 구성원이라고 생각하는데 정작 조직은 자신을 종

업원으로 취급할 수도 있고, 자신은 회사의 파트너인 구성원이라고 생각하며 일하고 있는데 함께 일하는 후배는 구성원이길 포기하고 수동적으로 일할 수도 있다.

회사에서 함께 일하고 성과를 내려면 '구성원 마인드'가 반드시 필요하다. 따라서 회사는 직원들을 종업원으로 바라보며 마치 기계 부품처럼 임의로 붙였다 떼었다 할 수 있는 수단이라 생각할 것이 아니라, 자율과 창의를 바탕으로 회사의 연속성을 담보하는 능동적인 주체, 즉 구성원이라는 점을 항상 지각해야 한다.

팔다리가 좀 아프다고 해서 잘라버리거나 없앨 수는 없는 노릇이지 않은가? 무릇 사람의 건강한 신체를 이루는 데 없어서는 안 될 팔다리처럼, 구성원은 존재하는 그 자체가 목적이 돼야 한다.

구성원 역시 종업원이 아니라 구성원으로 인정받기 위해 조직과 내가 한 몸이라는 생각으로 헌신해야 한다. 간혹 '내가 받는 급여만큼만 일하면 됐지, 더 할 필요 있나' 하는 생각으로 회사에 다니는 사람들을 보게 되는데, 이런 사람들은 스스로 '종'이기를 자처하는 것이다. 몸에 해당하는 회사가 건강해야 팔다리도 의미 있는 것이지, 팔다리만 멀쩡하고 정작 몸이 건강하지 못하다면 무슨 소용이 있겠는가. 그러므로 내가 회사에서 어떤 임무와 역할을 수행해야 할지 진지하게 생각해야 한다. 회사에 기여할 수 있는 나만의 차별화된 경쟁력을 확보하고 맡은 일을 진취적인 자세로 해나간다면, 설사 나를 '종업원' 취급하는 회사에 다닌다 해도 종업원이 아닌 '구성원'으로서 당당하게 일할 수 있다. 눈치 보며 시키는 일만 하는 종업원이 될 것인가, 조직에 없어서는 안 될 구성원으로서 위풍당당하게 자신의 일을 해내며 탁월한 성과를 창출할 것인가 하는 문제는 결국 자신의 일에 얼마만큼 주인의식, 즉 오너십ownership을 가지고 있느냐에 따라 결정된다.

회사는 임직원을 종업원이 아닌 구성원으로 인식해 건전한 파트너 의식을 갖도록 하고, 구성원 역시 스스로가 회사의 주인공이라는 자부심을 갖고 자신의 일을 책임지는 '한 몸 의식same-boat ship'을 가질 때 비로소 진정한 책임경영, 참여경영이 가능해진다. 그렇게 된다면 누군가는 시키기만 하고 누군가는 불평만 하는 수준 낮은 조직이 아니라, 회사와 구성원 모두 자율적으로 각자 맡은 임무와 역할에 책임을 지고 신명나게 일할 수 있는 '조직다운 조직'으로 성장할 수 있다.

업의 본질이란 무엇인가

제공하고자 하는 '고객가치'다

"우리의 사업은 무엇인가?"

피터 드러커는 경영자가 사업을 잘 이끌어가려면 가장 먼저 이 질문에 간단하고도 명확하게 답할 수 있어야 한다고 했다. 자신이 하는 사업의 개념을 정확히 파악한 후 시작해야 성공의 문턱에 다가설 수 있다는 이야기다. 이 질문의 본질을 관통하는 간단명료한 답이 곧 '업業의 본질'이다.

업의 본질은 시공을 초월해 고객에게 궁극적으로 제공하고자 하는 가치를 의미한다. 즉 '우리가 왜 이 사업을 수행해야 하는가'에 대한 것으로, 이는 '기업이 고객과의 거래를 통해 고객에게 제공하고자 하는 가치가 무엇인가'에 대한 답을 통해 얻을 수 있다. 또한 기업이 시장에 존재하는 궁극적 이유를 고객들에게 자신 있게 말할 수 있도록 뒷받침해주는 차별화된 근거이기도 하다.

또한 업의 본질은 '행복 추구를 위한 수단이자 목적'이다. 왜냐하면 대부분의 조직이나 개인이 기쁨을 증대시키고 고통을 감소시키고자 하는 동일한 가치를 추구한다고 했을 때, 결국 업의 본질이란 자신의 행복과 조직의 행복을 연결시키는 것이기도 하기 때문이다. 이렇듯 조직의 근간이 되는 업의 본질에 대해 충분히 이해하지 않고 단순히 주어진 일을 하는 데만 급급하다면, 미래에 다가올 고객가치 중심의 환경변화에 능동적으로 대처하지 못해 위기에 봉착할 가능성이 크다.

탄탄한 기본지식 없이 그때그때 필요한 공식만 외워서 문제를 풀다 보면, 문제유형이 조금만 달라져도 당황하거나 막히기 십상이지 않은가. 어떤 상황이 닥쳐도 목적지를 향해 전진하기 위해서는 확실한 기본체력을 갖추고 있어야 한다. 우리가 업의 본질을 꿰뚫고 있어야 하는 이유가 바로 여기에 있다.

하지만 "당신의 회사가 하는 업의 본질은 무엇입니까?" 혹은 "당신이 하고 있는 업의 본질은 무엇입니까?"라고 질문해보면 제대로 답하는 이들이 의외로 많지 않다. 대부분 당황하는 기색으로 "뭐, 값싸고 좋은 물건을 만들어서 소비자들에게 제공해 많은 이익을 창출하는 것이라고 봅니다. 그게 업의 본질 아닌가요?"라고 한다든지 또는 "우리는 제조업을 합니다", "저희는 금융서비스업입니다"와 같이 자신들이 시장에 내놓는 제품과 서비스 관점에서 이해하는 경우가 대부분일 것이다.

그러나 업의 본질은 단순히 물건을 많이 팔아 이윤을 얼마나 많이 남기는가, 기업이 시장에서 거래하는 제품과 서비스가 어떤 종류인가 하는 차원의 개념이 아니다. 기업이나 구성원들이 제품이나 서비스를 통해 고객들에게 제공하고자 하는 궁극적인 '고객가치'와 관련된 한 차원 높은 개념이다.

예를 들어 어린 자녀를 동반한 가족들이 자주 찾는 리조트나 테마파크를 생각해보자. 그들의 가장 큰 고민은 '어떻게 하면 더 많은 고객들이 찾게 할 수 있을까?', '어떻게 하면 놀이시설이나 휴식시설을 고객들이 더 많이 이용하게 만들 수 있을까?', 그리고 '어떻게 하면 고객이 소비하는 인당 지출비용을 높일 수 있을까?'일 것이다. 대개 이런 경우에는 경쟁사들과 마찬가지로 이용요금을 대폭 할인한다거나, 과다한

쿠폰을 발급한다거나 해서 가격경쟁에 끼어들곤 한다. 물론 상품의 종류와 지리적 한계가 있던 시절에는 가격경쟁이 핵심이었다. 그러나 끝없는 가격 과열 경쟁에 빠져들면 오직 '경쟁을 위한 경쟁'에 매달려 시장을 혼탁하게 만들 뿐이다. 그런 기업은 결코 오래가지 못한다. 성숙해진 고객과 시장은 자신에게 어떠한 가치를 제공해줄 수 있는지에 관심을 보인다. 따라서 리조트나 테마파크에서 일하는 구성원들은 고객에게 제공하고자 하는 궁극적인 가치, 예를 들어 '가족과 함께하는 행복'이나 '이 세상 무엇과도 바꿀 수 없는 즐거움' 같은 가치를 전하는 것이 조직의 업의 본질이라는 생각으로 일해야 한다. 그래야만 장기적으로 지속, 성장하는 조직이 될 수 있다.

1987년, 일본의 철도사업을 담당하던 국영기업 JNRJapan National Rail은 민영화 과정에서 지역을 기준삼아 모두 6개 회사로 분할됐다. 동일본철도는 이때 분리된 민영기업 중 하나로, 혼슈 동북지역의 철도사업을 담당하게 됐다. 그러나 국가의 기간산업으로 보호받던 종전과는 달리 다른 회사와 경쟁하면서 더 많은 수익을 창출해야 했고, 이에 따라 철도 외의 다른 사업에도 진출해야 하는 상황에 직면했다. 정부의 보호 아래 온실 속의 화초처럼 사업을 해온 동일본철도에는 큰 시련이었다. 돈을 벌긴 벌어야 하는데 어떤 사업에 어떻게 진출해 성과를 거둬야 할지, 쉽게 방향을 잡을 수 없었다.

마침내 그들은 자신들이 하고 있는 철도 운송업이라는 '일' 자체의 한계에서 벗어나, 회사가 추구하는 '업의 본질'인 '믿을 만한 라이프스타일을 창조하는 그룹'이라는 개념으로 시야를 확장해 종합서비스 기업으로의 성장을 모색했다. 그 결과 동일본철도는 기존의 철도 운송업을 중심으로 여행, 숙박, 쇼핑, 부동산관리, 출판, 광고, 레저, 손해보험 등 기존 철도 사업과 연계되면서 업의 본질에 적합한 분야로 사업을 다각화하는 데 성공했다. 현재도 동일본철도는 철도 승객에게 역 부근의 호텔을 할인된 가격으로 이용할 수 있도록 하는 할인 패스 서비스, 동일본철도의 시설은 물론 대주주로 참여하는 도쿄 모노레일까지 이용할 수 있는 선불형 이머니 카드 등을 선보이며 매년 괄목할 만한 성장을 일구어내고 있다.

업의 본질에 대한 정확한 인식 여부는 우리 회사가 반짝 스타와 같은 단명기업으로 끝날 것인가, 고객들로부터 변함없는 사랑을 받는 장수기업으로 거듭날 것인가를 가름하는 핵심 키워드다. 히트곡 하나로 팬들의 사랑을 한 몸에 받았지만 그것으로 끝난 가수들과 자신의 분야에서 일가를 이뤄 꾸준한 사랑을 받는 가수들의 차이는 무엇일까? 결국 '노래란 무엇인가?', '나와 사람들이 이 노래를 통해 얻고자 하는 것은 무엇인가?' 하는 업의 본질에 대한 진지한 성찰과 고민이 있느냐 없느냐 하는 것일 테다.

고객들은 구성원 개개인이 수행하는 다양한 업무를 통해 기업이 궁극적으로 표방하는 고객가치를 새롭게 인식하고, 그 수준과 실체를 보고 환호하기도 하고 때로는 실망하기도 한다. 그러므로 조직에 몸담고 있는 사람이라면 내가 하고 있는 일, 즉 업의 본질이 무엇인가에 대한 폭넓은 이해와 통찰력이 필요하다. 그래야 나와 조직 모두가 쇠락과 성장의 갈림길에서 성장으로 방향을 틀 수 있다.

핵심가치란 무엇인가

생각하고 행동하고 의사결정하는 기준이다

'지킬 건 지킨다'는 카피로 끝나는 한 자양강장제 CF가 있었다. 달콤한 데이트를 하던 청춘남녀가 갑자기 손을 잡고 달리기 시작한다. 가쁘게 숨을 몰아쉬며 연인들이 도착한 곳은 다름 아닌 여자의 집. 집 안에 걸어둔 '통금시간 밤 10시' 액자가 클로즈업되면서 CF는 끝을 맺는다. 아무리 시간가는 줄 모르는 데이트일지라도 가족 구성원으로서 원칙은 지켜야 한다는 메시지를 전하면서 말이다.

기업에서 집안의 가훈 혹은 가풍과 같은 역할을 하는 것이 바로 핵심가치核心價値, core value다. 개인의 좌우명, 또는 중고등학교 시절 교실 칠판 위에 걸려 있던 교훈과 급훈도 각 조직의 핵심가치를 표현한 것이라 할 수 있다. 정의하자면 핵심가치란 '개인 또는 전체 구성원이 공통적으로 인지하고 있는 의사결정의 판단 기준'이며, '우리의 미션수행과 비전 달성을 위해 내재적으로 공유해야 할 공통분모로서의 가치'를 말한다. 이때 미션이란 '기여하고자 하는 임무'이며, 비전은 '미션을 수행하기 위해 되고자 하는 모습'이다.

핵심가치는 조직뿐 아니라 개인 차원에서도 중요하다. 개인의 핵심가치인 좌우명이 있다면 매 순간 판단의 기준으로 삼을 수 있다. '어떤 삶을 살 것인가', '수많은 선택의 기로에서 어떻게 결정을 내릴 것인가' 하는 질문에 대해 스스로 다짐을 할 때, 좌우명은 단순한 미사여구가 아닌 삶을 지배하는 생활의 준칙이 돼 진정한 의미를 다한다.

핵심가치의 역할은 크게 2가지로 나눠볼 수 있다. 첫째, 구성원 공통의 판단 기준이 된다. 미션을 추구하는 과정에서 구성원들은 다양한 상황에 직면하게 되고 그때그때 최선의 의사결정을 해야 한다. 이때 핵심가치가 무엇이 중요한지를 판단하는 기준이 되어준다. 둘째, 구성원 공통의 행동 방향을 제시한다. 핵심가치는 공동의 판단 기준이므로, 이에 근거한 공통된 행동 방향 역시 알려준다. 저마다 다른 구성원 개개인의 행동방식을 한 방향으로 묶어주는 역할을 하는 것이다.

최근 기업경영에서는 핵심가치의 정립과 활용의 중요성이 강조되고 있다. 저마다 각기 다른 개성을 갖고 있는 구성원들의 마음을 한데 모으고, 비전을 달성하기 위해 의사결정의 판단 기준을 공유하고, 이를 성공 DNA로 체질화하는 것이 다른 어떤 전략보다도 강력한 승리의 원동력이 됨을 많은 경영자들이 깨달았기 때문이다.

약 70년 전인 1943년에 발표된 존슨앤드존슨 사의 핵심가치는 핵심가치에 대해 이야기할 때 빼놓을 수 없는 고전 같은 사례다. 그들의 핵심가치는 '우리의 신조our credo'로 구체화돼 구성원들의 행동 준칙이자 생활의 규범으로 든든히 자리 잡고 있는데, 그 내용은 대략 다음과 같다. 첫째, 우리 제품과 서비스의 모든 소비자에게 책임감을 갖는다. 둘째, 우리 회사의 모든 직원에게 책임감을 갖는다. 셋째, 지역사회를 포함해 세계 공동체에 책임감을 갖는다. 넷째, 회사의 마지막 책임은 주주에 대한 책임이다. 존슨앤드존슨은 명확한 핵심가치의 실천으로 1982년 타이레놀 사건 등 수많은 위기와 역경을 극복하고 오늘날 전 세계인들에게 가장 존경받는 회사 중 하나로 발전할 수 있었다.

존슨앤드존슨뿐 아니라 많은 글로벌 기업들과 국내 기업들도 미션을 제대로 수행하기 위한 자신들만의 차별화된 핵심가치를 기업경영에 접목시켜 전략적으로 활용하고 있다. 국내 대기업 S그룹도 2005년부터 전 임직원들이 공유하고 실천해야 할 핵심가치로 '인재제일', '최고지향', '변화선도', '정도경영', '상생추구'를 설정하고, 이를 널리 전파하고 공유함으로써 글로벌 기업에 걸맞은 존경과 사랑을 받는 기업으로 거듭나고자 지속적인 노력을 기울이고 있다.

참고로 핵심가치와 유사하지만 혼동하지 말아야 할 것으로 '경영이념' 또는 '경영철학'이 있는데, 이는 경영자가 기업을 영위하는 데 지침이 되는 기본적인 의식, 즉 경영자의 가치관이나 태도를 반영해 형성되는 궁극적인 경영목적을 의미한다. 앞서 5가지 핵심가치를 공유하고 있다고 소개한 S그룹의 경영이념은 '인재와 기술을 바탕으로 최고의 제품과 서비스를 창출하여 인류 사회에 공헌한다'로, 경영이념과 핵심가치의 미묘한 차이를 구분할 필요가 있다.

핵심가치의 모습은 회사에 따라 각양각색이다. 어떤 회사는 구성원 간의 화합과 협력적인 문화를 중시하고, 어떤 기업은 구성원들 간 선의의 경쟁과 도전을 우선시 여긴다. 그러므로 해당 회사의 핵심가치를 보면 일하는 모습을 어느 정도 유추해볼 수 있다. 조직에 제대로 뿌리 내린 핵심가치는 매일 일어나는 크고 작은 의사결정과 업무수행의 판단 기준이 되기 때문이다. 따라서 구성원들은 핵심가치의 의미와 활용방법에 대해 명확히 이해하고 이를 어떻게 내재화할지 고민해야 한다. 예를 들어 '성실'을 핵심가치로 정한 회사라면 '회의 시간 5분 전에 와 있기', '지각하지 않기' 등과 같이 구체적인 행동기준도 함께 마련해준다면 구성원들이 이를 내재화해 바람직한 행동으로 실천할 가능성이 높아진다.

'혼'과 '정신spirit'이 담긴 핵심가치를 조직구성원들이 얼마나 지속적으로 실천하느냐는 그 기업이 지속적으로 고객들에게 인정받고 성과를 낼 수 있을지 없을지 결정하는 중요한 요소가 된다. 선진기업일수록 핵심가치를 강조하는 이유다.

고객이란 누구인가

헌신하고자 하는 '대상'이자
내가 존재하는 '근거'다

1980년대 말 국내 모 그룹이 이미지 광고에 '고객을 위한 가치창조'라는 카피를 사용하여 히트를 친 일이 있다. 지금은 기업이 고객을 위해 가치를 창조한다는 것이 지극히 당연한 상식으로 받아들여지고 있지만, 20여 년 전만 해도 기업이 '고객에게 특별한 가치를 제공하기 위해 노력한다'고 말하는 것만으로도 고객을 감동시켜 그들의 지갑을 열게 했다.

우리는 직장 생활을 하면서 고객顧客이라는 단어를 때로는 지나치다 싶을 만큼 자주 접하곤 한다. 과거에 비해 고객의 범위가 워낙 넓어졌기 때문에 고객이란 '상점 따위에 물건을 사러 오는 사람, 또는 경제에서 창출된 재화와 용역을 구매하는 가구家口'라는 사전적 정의를 뛰어넘어 '내 행위의 영향을 받는 모든 사람'을 지칭하기에 이르렀다. 그 말은 나의 상사나 옆 부서의 동료들도 내 고객이라는 의미다.

고객은 크게 내부고객과 외부고객으로 나뉜다. 내부고객은 함께 일하는 동료나 선후배, 상사처럼 같은 조직 내에서 나의 행위로 발생하는 영향을 받는 사람들이고, 외부고객은 좁은 의미의 고객, 즉 기업이 제공하는 재화나 용역을 구매하는 사람들을 말한다.

고객과 유사한 뜻으로 많이 쓰이는 단어 중에 '소비자'가 있다. 소비자消費者란 '기업이 제공하는 가치를 사용하는 사람들'로, 다수의 군중으로서의 성격이 짙다. 고객이라는 호칭에 한 사람 한 사람의 개인에게 집중하려는 노력이 묻어 있는 것과 대비된다.

또한 소비자는 생산자에 대비되는 성격이 강하다. 국어사전을 찾아보면 소비자를 '생산의 어느 과정에도 직접적으로 관여하지 않는 사람'이라고 정의하고 있기도 한데, 이는 생산의 모든 과정에서 고객을 염두에 두고 분석하고, 그들의 요구에 귀를 기울이는 오늘날 기업의 모습과는 다소 상반되는 해석이다. 대량생산을 통한 매스 마케팅 시대를 살던 군중으로서의 소비자들이, 한 사람 한 사람 각자의 개성과 기호를 표현하는 고객으로 분화됐다고 보는 것이 적절하겠다.

그렇다면 오늘날 유독 고객을 강조하는 이유는 무엇일까? 이는 바로 고객이 내가 존재할 수 있는 전제, 그리고 회사가 생존할 수 있는 기반이자 근거이기 때문이다. 새가 뭍을 떠나 살 수 없고 물고기가 물을 떠나 살 수 없듯, 고객이 없으면 회사와 구성원이 존재할 수 없다. 부모가 없으면 자식이 없듯 고객이 존재하지 않는다면 기업은 그 존재 근거가 없어지는 것이며, 영속적으로 생존할 수 있는 대상과 실체도 사라지고 만다. 따라서 회사가 고객의 만족을 위해 노력하는 것은 부연 설명이 필요 없을 정도로 당연한 것이다. 조직에 기여하고 내가 발전하기 위해서는 내·외부 고객을 명확히 인지하고 그들을 만족시켜야 한다.

고객을 만족시키기 위해서는 무엇보다 고객의 니즈와 원츠를 제대로 파악해야 한다. 내부든 외부든 고객의 아픔과 어려움을 내 일처럼 여기고, 행동이나 잠깐 스쳐지나가는 제스처를 보고서라도 내가 해줄 수 있는 것은 없을까 배려하는 마음을 가져야 한다. 상대방에게 해주면 좋아할 만한 것이 무엇이고, 지금 상황에서 상대방이 아쉽고 불편하게 여길 만한 점은 무엇인지 파악하는 것은 더 나은 제품과 서비스를 제공하기 위한 시발점이 된다. 즉 고객의 입장에서 그들의 니즈와 원츠를 파악하고, 상상력을 발휘해 이를 충족시킬 수 있는 방법을 강구해야 한다.

한글 창제 당시 세종대왕은 글을 알지 못해 겪는 불편함을 감내해야 했던 백성들의 입장에 서서 함께 아파했다. 그리고 이에 그치지 않고 상상력과 창의력을 발휘해 새로운 문자를 만들어야겠다는 생각을 하게 된 것이다. 고객에게 가까이 다가가 고객의 니즈를 실감하고 창의력을 발휘해 이에 대한 해법을 제시하는 것이 고객과 건강한 관계를 만들어가는 지름길이다.

시리얼의 창시자 켈로그Will Keith Kellogg는 미국 미시건 주의 배틀크리크에 있는 병원에서 근무하는 사람이었다. 그의 임무 중에는 입원환자들에게 식사를 제공하는 일도 있었다. 주로 곡물과 육류, 채소로 구성된 것이었는데, 많은 환자들이 빵에 남아 있는 효모(이스트)의 부작용으로 소화불량에 시달리곤 했다. 그 사실을 안 켈로그는 힘들어하는 환자들에게 연민의 정을 느껴, 어떻게 하면 환자들이 더 편안하게 식사를 할 수 있을까 고민하기 시작했다. 밀을 삶아서 먹기 쉽도록 눌러내는 방법을 써봤지만 여의치 않았다. 그러나 켈로그는 포기하지 않고 수많은 시행착오 끝에 시리얼을 발명하는 데 성공했다. 밀의 껍질을 그대로 포함하고 있는 시리얼은 섬유질을 많이 함유하고 있기 때문에 소화도 잘 됐고, 영양가도 높았다. 환자들의 반응은 고무적이었고, 인근 병원에서도 그의 시리얼을 찾기에 이르렀다. 환자들이 퇴원한 후에도 시리얼을 찾자 켈로그는 아예 일반인 대상의 시리얼을 개발해 시판에 들어갔다. 오늘날 전 세계에서 애용되는 시리얼의 탄생기다.

회사 내의 구성원 모두가 나의 핵심 고객이 누구이며 고객이 나와 우리 회사에 어떠한 존재인지 정확히 알고 있다면, 고객 불만은 자연스레 줄어들고 감동은 극대화될 것이다. 고객이 내가 존재할 수 있는 전제라고 생각하는 구성원은 고객의 까다로운 요구를 불평의 대상이 아니라 발전을 위한 밑거름으로 생각할 것이기 때문이다. 고객의 요구가 복잡하고 구체적이면서 다양할수록 나와 회사의 발전을 위한 아이디어를 그만큼 많이 얻을 수 있다고 여길 것이다. 이는 외부고객은 물론 내부고객과의 관계에도 동일하게 적용할 수 있다. 이를 위해서는 고객 곁으로 가까이 다가서 그들의 목소리에 한층 더 귀를 기울여야 한다.

우리가 원하는 것을 얻기 위해서 핵심적으로 공략해야 할 타깃 고객이 누구인지 정확히 알고, 그들의 행동 패턴과 욕구를 찾아내어 이를 충족시키기 위해 적시에 대안을 실행해야 한다. 이것이야말로 고객은 물론 나와 회사의 생존과 발전을 위해 반드시 해야 할 일이다.

팀이란 무엇인가

수평적 '자율경영 공동체'다

올림픽 정식 종목 중 하나인 조정이 인기 예능 프로그램의 소재가 된 이후로 사람들의 많은 관심을 얻고 있다. '팀' 단위로 이루어지는 모든 단체경기 종목이 그러하겠지만 조정 역시 팀워크가 승부를 가르는 가장 중요한 요인이 되는 종목이다. 배의 리더 격인 콕스cox는 배의 방향을 잡고 팀원들의 동작을 코칭해야 하며, 팀원들은 한 몸을 이뤄 힘 있게 노를 저어야 한다. 팀원들이 말 그대로 '하나'가 되지 않으면 결코 좋은 성적을 낼 수 없다.

팀이란 무엇인가? 혼자 일하는 것보다 둘 이상이 모여서 일하는 것이 훨씬 더 큰 부가가치를 창출할 수 있다는 사실을 깨닫게 된 인간은 서로 모여 집단으로 일하기 시작했는데, 이 조직을 팀이라고 한다. 간혹 한 사람으로 구성된 팀도 있는데, 이는 명칭만 팀일 뿐 실제로는 팀이라고 볼 수 없다.

좀 더 구체적으로 살펴보기로 하자. '팀제team system'란 사업부제와 더불어 수평적 자기완결형 조직 혹은 권한위임의 대명사라 할 수 있는 제도다. 우리나라에서는 1980년대 후반부터 등장한 개념으로, '팀 내 구성원들이 맡은 역할에 따라 자기완결형 메커니즘을 갖고 성과목표에 의한 자율책임경영을 하는 조직'이라는 의미를 담고 있다. 반면 팀제가 활성화되기 전까지 주를 이루었던 '부과제hierarchical system'는 효과성보다는 실행과정의 효율성을 중시하는 제도로, '담당-계-과-부'와 같이 해야 할 업무 중심의 피라미드 조직 혹은 계층별 위계조직의 형태를 의미한다.

팀제는 수요자 중심의 경영환경이 도래함에 따라 기존의 시스템으로는 더 이상 성과를 창출할 수 없다는 한계를 인식하면서부터 출발했다. 즉 고객들의 니즈를 가장 잘 알고 현실적으로 대처할 수 있는 고객 접점의 구성원들에게 실행을 믿고 맡겨야 한다는 자율책임경영의 논리가 팀제의 기본 전제다. 팀원이 하는 업무수행의 모든 과정을 상사가 일일이 지시하고 통제하여 관리하는 중앙집권적 조직 운영 형태인 부과제와 본질적으로 다른 점이다.

과거 노동집약적 산업이 주류였던 시대에는 정해진 절차에 따라 과업을 이행하는 육체적 노동력이 중시됐다. 따라서 결정된 사안에 대해 정해진 매뉴얼에 따라 실행만 잘하면 되는 상명하복식의 계층적 조직구조가 적합했다. 하지만 오늘날과 같은 지식기반 시대에는 무엇보다 창의성과 전략적 실행 역량이 중요하다. 따라서 같은 목표를 추구하되 각자 맡은 역할에 충실해 자율적인 의사결정을 하고, 실행 결과에 대해 책임을 지는 팀제가 보다 효과적이라고 할 수 있다.

팀제는 성과목표 중심의 자기완결형 조직으로 '계획-실행-평가'의 사이클을 팀 내에서 모두 수행하기 때문에, 단순히 부여받은 업무를 실행하는 기능적 부과제와는 조직을 바라보는 철학이나 접근 방식이 완전히 다르다. 그러나 실제로는 명칭만 팀제일 뿐 조직 내부는 여전히 수직적인 부과제의 성격을 띠는 경우도 많다. 예를 들어 신속한 의사결정을 저해하는 결재 품의제도, 그리고 직무 범위 및 예산 범위 등을 한정하는 위임전결규정 등이 가장 대표적인 통제 메커니즘의 유물이다.

팀제를 제대로 정착시키기 위해서는 조직 차원에서 팀의

임무와 역할을 명확히 하고 각 팀이 자신들의 성과목표를 책임지고 달성할 수 있어야 한다. 아울러 팀장은 성과코칭 역량이 탁월해야 하며, 구성원들은 자기 업무의 실행과정을 스스로 주도할 수 있는 자기완결형 업무 주체자가 돼야 한다. 팀 차원의 프로젝트를 수행하는 과정에서 돌발 상황이 발생했을 경우, 팀 리더에게 어떻게 해야 할지 묻고 기다리는 것이 아니라 팀원 스스로가 신속히 상황을 파악하고 늦지 않게 최적의 의사결정을 내려 행동해야 한다.

팀은 본질적으로 문제를 해결해 성과를 창출하기 위한 조직이다. 따라서 팀장은 통찰력을 발휘해 큰 숲을 보는 역할에, 팀원은 뛰어난 정보력과 실행력으로 나무를 보는 역할에 집중해야 한다. 반면 부과제에서는 부서장이나 구성원의 역할에 별 차이가 없이 대개 일을 어떻게 처리할 것인가 하는 실행방법이나 절차와 같은 '나무'를 보는 역할에 편중되기 십상이다.

기능조직 vs 사업부제 조직 vs 매트릭스 조직

팀의 본질, 그리고 팀 조직 운영에 대한 이해를 돕기 위해 기능조직, 사업부제 조직, 매트릭스 조직 등 조직설계 방법에 따른 구분과 기본적인 특성에 대해서도 알아두자.

먼저 우리가 가장 쉽게 떠올릴 수 있는 기능조직은 인사,

영업, 재무, 생산 부문 등과 같이 서로 관련된 업무를 담당하는 사람들을 하나의 그룹으로 묶어 만든 것이다. 분업의 원리를 활용한 체제로, 부서별 전문성을 높이고 여러 자원을 효율적으로 사용할 수 있다는 장점이 있다.

사업부제 조직의 경우 주로 제품이나 서비스의 생산라인, 지역, 고객 등을 기준으로 구분한 사업 단위의 조직이다. 동일한 제품이나 서비스를 아이템으로 하되 수도권사업부, 중부사업부, 영남사업부, 호남사업부 등 지역으로 구분하거나 온라인사업부, 오프라인사업부, 방문판매사업부 등 판매 채널로 구분할 수도 있으며, 아니면 VIP사업부, B2B사업부, 대학생사업부 등 타깃 고객 등을 기준으로 편성하기도 한다. 다각화 전략을 통해 조직을 확대하거나 사업 지역을 확산하는 과정에서 여러 사업을 효과적으로 관리하고 중앙의 부담을 줄이는 데 적합하다.

다소 생소하긴 하지만 기능조직과 사업부제 조직을 혼합해 격자 모양처럼 편성하는 매트릭스 조직도 있다. 매트릭스 조직은 명령과 보고 체계를 이중으로 만들어 이원적 명령체계를 운영한다. 예를 들어 영남사업부에서 CRM을 담당하는 직원은 어떤 업무는 영남사업부장에게, 어떤 업무는 CRM 팀장에게 보고하는 식이다. 매트릭스 조직을 잘 운영하면 기능조직과 사업부제 조직이 지닌 장점을 살리고 단점은 보완할 수 있지만, 그렇지 못할 경우 독립적으로 운영할 때보다 오히려 많은 혼선을 초래할 가능성이 높다.

평소와 달리 특별히 복잡하거나 단기간에 목적이 뚜렷한 업무를 할 경우, 기존 조직의 틀을 유지하되 구성원들을 기능별 조직 단위에서 차출해 일정 기간 임시로 운영하는 태스크포스task force를 운영할 수도 있다. 특수임무를 담당하는 기동부대라는 군사용어에서 명칭이 유래된 태스크포스는 보통 신규사업이나 시장개척, 신제품 개발 등 과제나 임무가 중요하고 구체적이며 명확할 때 소규모로 운영되는 경우가 많다.

팀워크

팀제의 성공 여부는 실행방법을 선택해 신속히 집행할 수 있는 권한을 고객 접점의 구성원들에게 얼마나 위임하는가에 달려 있다고 해도 과언이 아니다. 이를 위해 가장 필요한 것이 바로 팀워크다. 팀워크의 수준이 어느 정도인가에 따라 성과가 좌지우지된다.

팀워크란 '리더가 제시하는 공동의 목표를 달성하기 위해 구성원과 동료들이 정신적, 기술적으로 협력하고 조력하는 상호작용'을 의미한다.

여러 사람들이 모여 이룬 조직은 구성원의 태도나 행동 양태에 따라 발휘하는 힘이 현격히 달라진다. 조직구성원의 태도나 행동양태가 모여 발휘되는 팀워크로 조직의 성과가 달성되기도 하고, 시장에서 패배하기도 한다. 특히 리더 역시 팀을 구성하는 구성원으로서, 다른 구성원들처럼 업무에 협조하고 협력해야 한다. 리더가 갖춘 팀워크 역량의 수준은 팀워크에 대한 구성원들의 태도나 행동에 미치는 영향이 매우 크므로 더욱 신경 써야 한다.

회사의 구성원이라면 누구나 개인주의적 사고와 행동을 접어두고 조직이 추구하는 방향과 생각을 바탕으로 서로 협력해야 하는데, 때로는 그렇지 못한 경우도 있다. 단적인 예를 들어보자. 팀에서 회식장소를 결정해야 하는데 팀원마다 의견이 달라, 갑론을박 끝에 팀장의 주재 하에 일단 종로에 있는 양대창구이집에 가기로 결정했다. 이는 팀에서 논의를 거쳐 결정한 사항이기 때문에, 다소 이견이 있더라도 결정에 따르는 것이 팀워크다. 그것이 전체성과를 위해 바람직한 행동이기 때문이다. 그러나 끝까지 메뉴가 마음에 안 든다는 둥, 맛이 없다는 둥 회식 내내 투덜거리며 팀의 분위기를 흐리는 팀원들도 있다. 하다못해 이와 같은 사소한 회식자리를 결정하는 것에서부터 상식적인 행동을 보여주어야 진정한 팀워크가 발휘된다.

무엇보다도 구성원들이 팀 목표를 함께 성취하는 데 가장 기본적인 것은 자신에게 주어진 성과책임에 대한 실행의 정확성과 책임의식을 높이는 것이다. 팀장을 비롯해 팀의 구성원은 각자 고유의 임무와 역할이 있다. 그런데 팀원 1명이 책임져야 할 임무와 역할을 제대로 수행하지 못하면 팀장과 다른 팀원들의 도움을 받아야 하고, 그 팀원 때문에 톱니바퀴처럼 돌아가는 팀워크에 균열이 생겨 종국에는 성과에 차질을 빚게 된다. 팀원 각자가 고객이 원하는 성과기준을 정확히 맞출 수 있을 때 서로에게 필요 없는 부담을 주지 않는다는 것을 명심해야 한다. 진정한 팀워크는 막연한 의기투합이 아니라 자신의 임무와 역할을 자기완결적으로 완수하는 것이다.

상사란 누구인가

내가 만족시켜야 하는 '제1의 고객'이자
나를 동기부여하는 '코치'다

입사한 지 2년이 채 안 된 김 주임은 얼마 전 직속 상사인 강 팀장과 함께 모 회사에 프레젠테이션을 다녀온 뒤로 매일 이 괴롭기만 하다. 수억 원의 프로젝트가 걸린 경쟁 프레젠테이션을 준비할 때만 해도 두 사람은 다정한 직장 선후배이자 멘토-멘티 관계를 유지했다. 3주 가까이 야근을 하고 어떨 때는 머리를 맞대고 밤을 지새기도 했다. 하지만 프레젠테이션 당일에 작은 의견 차이로 입씨름을 하게 됐고, 게다가 수주마저 실패하면서 두 사람 사이는 얼어붙고 말았던 것이다.

이후 강 팀장은 김 주임이 하는 말은 들은 척 만 척 묵살하고 인사를 해도 받는 둥 마는 둥, 어쩌다 눈이 마주쳐도 짐짓 외면하고 있다. 김 주임은 "혹시라도 팀장님께서 오해하시는 게 있다면 속 시원히 풀고 예전 관계로 돌아가고 싶지만 어떻게 다가가야 할지 모르겠다"며 속병만 앓고 있다.

아마 남의 일 같지만은 않을 것이다. 이런 경험 때문에 상사와는 처음부터 거리를 두려고 하고, 멀리서 상사의 발자국 소리만 들어도 심장이 벌렁벌렁한다는 동료들의 하소연도 종종 들을 수 있다. 실제 많은 통계에서 대다수 직장인들이 '회사 보고 들어왔다가 상사 때문에 나간다'는 속마음을 내비친다. 상사와 좋은 관계를 맺는 일이 쉽지 않음을 여실히 보여주는 대목이다. 상사를 어떤 관점에서 바라보는가는 회사 생활의 성패를 좌우하는 매우 중요한 요소다.

상사上司, boss란 원래 '자기보다 지위가 위인 사람'을 일컫는 말로, '직책상 자기보다 높은 자리에 있는 사람'이라는 의미인 '상관上官'과도 유사하다. '구성원이 업무를 수행하는 데 중요한 의사결정권을 갖고 있는 사람'이라는 의미 역시 내포하고 있다. 예전에는 자신보다 직위나 직급이 높으면 자신의 상사라고 생각하는 경우가 많았다. 실제로 예전에는 업무를 집행할 때 사원은 계장이나 대리에게, 계장이나 대리는 과장과 부장에게 일일이 단계별로 결재를 받아서 처리했다. 하지만 요즘처럼 수평적 조직형태인 팀제가 대세인 조직환경에서 같은 팀원이면서 직위가 높다고 해서 상사라고는 하지 않는다. 그냥 선배라고 하는 것이 일반적이다. 상사라고 하면 대개 파트장, 그룹장, 팀장, 지점장, 담당임원, 사업부장, 본부장, CEO 등과 같이 업무수행에 대한 의사결정권을 가진 직책수행자를 의미한다.

회사에서 인정받는 유능한 인재로 성장하고 싶다면 자기 자신의 고객이 누구인지, 그 고객이 무엇을 원하고 있고 그 요구사항에 맞춘 결과물을 어떻게 효과적으로 전달할 것인지 간파해야 한다. 이러한 시각으로 볼 때 팀원 혹은 구성원들이 '제1고객'으로 생각해야 할 사람은 바로 상사, 그중에서도 범위를 좁히면 자신의 파트장이나 팀장이다. 만약 상사가 도덕적으로나 상식적으로 도저히 용인할 수 없는 수준이라면 떠나는 것이 맞지만, 그렇지 않고 회사에 계속 머물려 한다면 100% 따라야 한다. 그럴 수 없다면, 혹은 원대한 성취목표를 위해서라면 상사까지도 변화시켜야 하는 것이 탁월한 구성원의 덕목이다. 상사를 일방적으로 명령하는 사람, 가급적 피하고 싶은 존재로만 여겨왔다면 이제 그 생각을 바꿔야 한다.

우선 상사의 주요 역할에 대해 생각해보자. 업종, 회사를 막론하고 상사, 특히 단위조직을 이끌어가는 리더의 역할은 크게 3가지다.

첫째, 상사는 '비전 제시자'로서의 역할을 충실히 해야 하는 사람이다. 길게 보면 5~10년 뒤의 중장기 목표부터 가깝게는 당해 연도의 목표까지 구성원들에게 제시하고, 한 방향으로 단위조직을 이끌어 가야 하는 감독이다. 그러므로 상위 조직의 니즈와 하위조직의 실행력을 고려해 얼마나 도전적이면서도 실현가능한 목표를 설정할 수 있는가 여부는 상사로서의 성공과 실패를 가늠하는 주요 인자다.

둘째, '창조적 동기부여자'의 역할을 수행해야 한다. 팀이나 구성원 개인 차원에서 달성해야 할 연간 성과목표를 두고, 이를 월간이나 주간, 일일 업무계획으로 실행하는 과정에서 구성원들을 코칭해야 한다. 이때 지나치게 일일이 체크하거나 '알아서 잘하겠지' 하고 그냥 맡겨버리는 것이 아니라, 목표달성 의지를 독려하고 실행전략과 방법에 대해 코칭함으로써 구성원들이 지치지 않고 몰입할 수 있게 만들어야 한다.

셋째, 구성원들의 성과와 역량을 객관적으로 평가하고 적시에 피드백하는 '평가자'의 역할을 수행해야 한다. 사전에 구성원들과 합의한 직무수행기준을 토대로 근거 있는 데이터에 의해 평가하고, 그 평가결과를 놓고 면담하고 피드백하는 것이다. 이는 구성원들이 자신의 강점을 더욱 강화하고 약점을 보완해 더 좋은 성과를 내는 기폭제가 될 수 있다. 그러므로 장기적인 관점으로 보았을 때 이 역할을 수행하는 역량을 보유하는 것은 상사의 주요 경쟁력이 된다.

능력 있고 언제나 관대하게 부하를 끌어주는 상사란 어떻게 보면 이상理想에 불과할지도 모른다. 상사들이 모두 이렇다면 스트레스를 받을 일도 고민할 이유도 없다. 그러므로 '어디 좋은 상사 없나' 찾아다니기 전에, 장단점이 많은 상사들과 어떻게 생산적인 관계를 이어갈 수 있을지 고민하는 것이 백번 낫다.

물론 상사와 좋은 관계를 맺으며 서로 이익을 주고받는다는 것이 말처럼 쉬운 일이 아니다. 오히려 상사를 도마 위에 올려놓고 이리저리 헐뜯으며 술자리 안주 삼아 스트레스를 푸는 직원들의 모습이 보다 현실적일 정도다. 하지만 이는 바람직하지 않다. 상사를 자신의 성장을 돕는 전략적 파트너로 삼고 관계를 재구축해야 한다.

좋은 팀원, 바람직한 구성원은 주변 동료와 상사의 추천을 받는 직원이다. 이들은 상사와의 적극적인 커뮤니케이션과 상호 코칭 과정을 통해 하루하루 성장하고자 하는 욕구를 지닌다. 그 결과 업무 효율이 높아지고, 자연스레 높은 성과를 창출할 수 있다. 반면 바람직하지 못한 팀원이나 구성원은 상사에게 '불만을 위한 불만'을 일삼는다. 본인의 성장은 물론 회사나 팀의 발전에 아무런 도움이 되지 않으며, 오히려 동료들에게까지 안 좋은 영향을 끼치게 된다. 성과 역시 저조할 수밖에 없다. 그러므로 상사와의 적극적인 교류를 통해 발전적인 관계를 구축해야 한다.

상사와 바람직한 관계를 설정하는 것이 중요하다는 사실은 누구나 안다. 문제는 '어떻게 접근할 것인가'다. 상사를 바라볼 때 무작정 '나에게 어렵고 부담을 주는 사람'이라는 인식에서 벗어나 고객 관점에서 이해하려고 노력하는 것이 상사와 좋은 팀워크를 발휘할 수 있는 시작점이다.

이때 다음과 같은 점에 유의하면 좋다. 우선 상사에게 좋은 인상을 남길 수 있어야 한다. 깔끔한 업무처리와 예의바른 태도는 큰 도움이 된다. 또한 상사의 니즈와 원츠를 적시에 파악할 수 있는 대화법을 활용하는 것이 필요하다. 자신에게 유리한 쪽으로만 대화를 진행한다거나 용건이 있을 때만 상사에게 부탁하기보다는, 가끔은 일부러 시간을 내서 상사의 고충에 대해 들어보고 어떤 욕구를 갖고 있는지 파악하려고 노력한다면 장기간 좋은 관계를 지속하는 계기를 마련할 수 있다. 마지막으로 상사가 불만을 제기할 때는 더욱 귀를 기울여야 한다. 불만사항을 해결하려 노력하는 과정에서 오히려 자신에게 더 긍정적인 이미지를 심어줄 수 있다.

이 모든 것은 상사를 고객 관점에서 바라보고, 내가 가장 만족시켜야 하는 '제1고객'이라고 생각하는 데서 출발한다. 설사 좋지 않은 상사라 하더라도 그를 성공시키는 데 기여해야만 구성원 자신에게도 이익이 된다는 것을 냉정하게 인식하자. 상사를 힐난하기보다 건강한 방식으로 응원하고 뒷받침하는 '팔로워십'을 발휘하는 것이 자신의 성장에도 도움이 될 것이다.

보고란 무엇인가
상하 간의 '합의적 소통채널'이다

회사원들은 하루 종일 수없이 보고報告, reporting를 하고 또 수없이 보고를 받는다. 보고서를 쓰고 부하 직원의 보고서를 읽기도 하며, 때로는 구두로 하거나 전화로 하기도 한다. 우리는 흔히 '보고 하나만 잘해도 상사로부터 인정받을 수 있다'고 하는데, 이는 보고를 그만큼 자주 한다는 것뿐 아니라 그만큼 중요하다는 뜻이기도 하다.

'일에 관한 내용이나 결과를 말이나 글로 알린다'는 뜻의 보고는 업무를 지시한 사람 혹은 보고를 요청한 사람의 요구 사항에 대해 보고자의 생각이나 의견을 전달하고 상호 교환 하는 수단이라는 의미를 지니고 있다. 대개 상사가 요구한 사항에 대해 부하 직원이 그 실행방법에 대한 의견을 개진하고 상호 합의를 이뤄내는 과정이라는 점에서 '합의적 소통 채널'이라고도 명명할 수 있다.

또한 보고는 '르포르타주reportage'의 줄임말인 '르포'로도 자주 사용된다. 르포란 어떤 사회현상이나 사건에 대해 단편적인 보도가 아니라 자신의 식견을 바탕으로 심층 취재한 결과물로, 대상의 주변 뉴스나 에피소드를 포함해 종합적인 기사로 완성한 것을 말한다. 조직에서의 보고 역시 보고자의 입장과 의견이 반영돼야 한다는 점에서, 르포 형식으로 하는 것이 바람직하다.

흔히 보고로 대표되는 회사 내 커뮤니케이션은 상사, 동료, 구성원의 니즈를 파악하는 것, 또한 나의 의사를 표현하는 것, 그리고 그것을 바탕으로 서로의 차이와 조화를 견지하는 것을 의미한다. 따라서 보고를 위한 커뮤니케이션 역량이 높다는 것은 조직 혹은 개인이 도달해야 할 구체적인 목적지와 달성 방법에 대해 전략적으로 설명할 수 있으며, 상대방으로 하여금 '할 수 있다'는 용기를 심어주는 진정성이 담긴 이야기를 고객 관점에서 전달한다는 뜻이다.

팀의 성과목표를 달성하기 위해 전략을 수립하고 실행할 때 조직 내외적으로 진행되는 다양한 보고는 절대적으로 중요한 가치를 지닌다. 특히 상하 간, 동료 간에 업무를 통해 신뢰를 확인하는 자리에서 보고를 주고받으며 이뤄지는 커뮤니케이션의 의미는 굉장히 남다르다. 그러므로 성과목표와 전략을 중심으로 구성원이 자율적으로 업무를 실행할 수 있도록 하기 위해서는 무엇보다 보고가 잘 이뤄져야 한다.

직장 내에서 보고 커뮤니케이션을 할 때는 지시나 요구사항을 처리하는 수동적인 단계에 머무르지 말고 상대방을 먼저 찾아가는 능동적인 모습을 보여주어야 한다. 공식적인 자리뿐 아니라 아침에 티타임을 갖거나 점심에 상사 혹은 동료와 식사를 하며 진행하고 싶거나 진행되고 있는 업무에 대해 대화할 수도 있을 것이다. 보고를 통해 상하 간에 원활한 소통이 이루어지고, 주요 사안에 대해 합의하는 문화가 정착되면 제때 적확한 의사결정을 할 수 있는 기반이 된다.

야구 경기에서 투수와 포수가 서로 사인을 맞춰 공을 잘 주고받는 것처럼 회사 내에서 보고를 조화롭게 주고받기 위해서는 다음과 같은 점에 유의할 필요가 있다.

첫째, 문자보다는 숫자 중심으로 보고해야 한다. 특히 숫자 중에서도 30%, 50% 등의 퍼센트보다는 절대 수치로 보고하는 것이 더 좋다. 보고 내용을 갖고 보고자와 보고받는 자가 동상이몽하는 경우를 볼 수 있는데, 이는 숫자 중심이 아니라 두루뭉술한 문자 중심의 커뮤니케이션에 기인하는 경우가 대부분이다. 예를 들어 '가급적 빨리 보고드리겠습니다'라고 하기보다는 '내일 오후 3시까지 A4 용지 2쪽 분량으로 보고드리겠습니다'라고 하는 것이 이해하기에 훨씬 구체적이고 명확한 표현이다.

둘째, 두괄식으로 보고하는 것이 좋다. 보고받는 사람이 가장 궁금하게 생각하는 결과를 먼저 이야기하는 것이 중요하다. 예를 들어 상사가 "김 대리, 지금 보고서가 예정보다 얼마나 지연되고 있지?"라고 물었을 때 "네, 3일 정도 지연되고 있습니다"라고 결론부터 이야기하고 그다음 상사가 설명을 요청하면 덧붙이는 것이 좋다. 그런데 "그게 말입니다, 사실은 데이터가 현업 부서에서 잘 올라오지 않고, 제가 이래저래 바빴던 관계로…"라고 둘러대면서 결론은 말하지 않고 핑계와 부연설명만 일삼는다면 보고받는 입장에서는 답답할 노릇이다. 따라서 보고할 때는 마치 신문 헤드라인을 뽑듯 핵심적인 결론을 먼저 이야기하고, 그다음에 원인이라든가 배경 설명 등을 부차적으로 하는 것이 바람직하다.

셋째, 자신은 물론 상대의 특성을 정확하게 인식하고 있어야 한다. 상사의 일하는 스타일, 나아가 습관까지도 사전에 알아두자. 서로의 장단점을 모른다면 보고 과정에서 쓸데없는 선입견과 편견이 작용할 가능성이 크기 때문이다. 특히 상사와 커뮤니케이션할 때는 내 욕구를 충족시키려는 공급자 중심의 관점이 아니라 보고의 수요자인 상사의 발전을 위해 내가 기여할 수 있는 부분이 무엇일까에 초점을 맞춰야 한다.

넷째, 객관적 사실과 주관적인 의견을 구분해서 보고해야 한다. 데이터를 가공해 허위로 보고하거나 주관적인 생각을 마치 객관적인 사실인 것처럼 보고하는 것은 상사 혹은 최종 의사결정권자의 잘못된 판단을 유도하는 위험천만한 일이다. 따라서 보고자는 객관적 사실에 대해서는 데이터를 근거로 정확하게 이야기하고, 본인의 의견이나 제안은 객관적 사실과 구분해 개진해야 한다. 이를 통해 상사는 보고의 취지와 의미를 충분히 이해할 수 있고 바람직한 의사결정을 하는 데 도움을 받게 된다.

다섯째, 상사로부터 권한을 위임받았다고 해도 기본적인 실행방법과 진행과정에 대한 보고를 생략해서는 안 된다. 상사가 자율권을 폭넓게 주었다 해도 그럴수록 보고에 주의를 기울여야 한다. 업무를 실행하기 전에 기본적인 추진 방향에 대해 간략히 보고하고 업무를 시작하면, 상사는 결과를 예측할 수 있으니 안심하고 긍정적인 코칭을 할 수 있다. 가끔 보면 엄연히 보고체계가 있음에도 불구하고 차상위자를 무시하고 최종 의사결정자에게 바로 보고함으로써 갈등을 빚는 경우도 발생하는데, 조직의 보고 체계는 가급적 준수하도록 노력하는 것이 에너지를 쓸데없이 낭비하지 않는 방법이다.

상사와 구성원 간에 조화로운 커뮤니케이션을 위해 알아두면 좋은 또 다른 방법은 이른바 '제안형 3단계 커뮤니케이션'이다. 간략히 설명하자면 다음 표와 같다.

첫 번째, 일을 시작하기 전에 상사와 주고받을 내용, 현재 상황에 대해 분명하게 파악하고 상사가 원하는 성과의 아웃풋 이미지를 명확하게 확인하는 것이다.

두 번째, 일을 진행하는 중간에 개략적인 결과의 아웃풋 이미지를 만들어 상사에게 약식보고 형태의 커뮤니케이션을

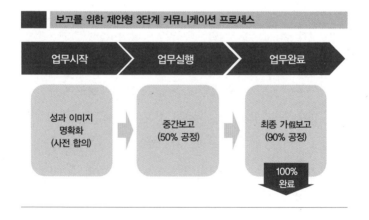

보고를 위한 제안형 3단계 커뮤니케이션 프로세스		
업무시작	업무실행	업무완료
성과 이미지 명확화 (사전 합의)	중간보고 (50% 공정)	최종 가假보고 (90% 공정) 100% 완료

하는 것이다. 이렇게 하면 혹시라도 발생할 수 있는 아웃풋의 오류를 최소화할 수 있다. 예를 들어 약 50% 정도 일이 진행됐을 때, 상사에게 현재까지의 아웃풋을 개략적으로 설명한 뒤 피드백을 받고, 나머지 50% 공정을 완성하기 위해 조치해야 할 사항에 대해 코칭을 받으면 된다.

마지막으로 최고의 아웃풋을 낼 수 있도록 상사가 최종적으로 원하는 아웃풋 이미지를 확인하면서 결과물을 내기 바로 전에 최종 커뮤니케이션을 한다. 예를 들어 전체 업무가 90% 정도 수행됐을 때 마무리 10%를 잘 진행할 수 있도록 상사에게 마지막으로 아웃풋 이미지에 대한 확인을 받는 최종 커뮤니케이션이 중요하다.

스케치페이퍼

올바른 보고를 위해서는 커뮤니케이션의 내용도 중요하지만, 바람직한 절차를 밟아 나가는 것 또한 염두에 둬야 한다. 이때 활용하면 좋은 것이 '스케치페이퍼sketch paper'다. 업무를 시작하기 전에 성과목표 아웃풋의 이미지와 대략적인 실행전략과 방법을 명확하게 하고 일을 시작한다는 의미에서, 잘 활용하면 유용하다.

스케치페이퍼란 리더와 구성원이 일을 시작하기 전에 성과목표와 실행전략에 대한 생각을 최대한 시각화해 사전에 공감대를 형성할 수 있는 도구다. 즉 리더가 구성원들에게 부여한 성과목표를 구성원들이 얼마나 명확하게 이해했는지 리더와 함께 확인해봄으로써, 성과목표와 달성전략에 대한 공감대를 다지는 실행전략의 프리뷰preview 도구를 의미한다. 이를 통해 리더와 구성원은 서로의 생각을 말로만 확인하는 것이 아니라 스케치한 그림을 눈으로 확인함으로써 이견을 줄이고 공감대를 넓힐 수 있다.

스케치페이퍼는 왜 중요한가? 무엇보다도 구성원들은 리더가 말하는 성과목표를 명확하게 인지하고, 리더가 의도하는 바가 무엇인지 자신의 언어로 해석해 바람직한 방향으로 실행하려고 노력해야 한다. 그러나 안타깝게도 현실은 그렇지 못해 늘 일을 시작하기 전부터 삐걱거리는 경우를 드물지 않게 목격할 수 있다.

그래서 필요한 것이 스케치페이퍼다. 스케치페이퍼를 활용하면 리더와 구성원이 달성해야 할 성과목표를 조감도 형태로 이해할 수 있고, 전략 방향성의 차이를 최소화할 수 있다는 점에서 그 영향력은 생각보다 크고 중요하다.

그러나 많은 장점에도 불구하고, 구성원들이 자발적으로 스케치페이퍼를 작성해 리더에게 사전에 보고하고 필요 사항에 대해 요청하는 것이 현실적으로 쉽지 않다. 상사에게 찾아가서 업무를 어떻게 추진해야 하는지 물어보고 싶어도 면박을 당할까 두렵고, 잘못하면 추가적인 업무를 부여받을 가능성도 많기 때문이다. 마치 혹 떼려다 혹 붙인 격이 될까 봐 업무지시를 받으면 언제까지 해야 하는지 정도만 묻고, 평소에 파악하고 있는 리더의 스타일을 감안해 자신의 생각대로 일을 처리하는 경우가 많다. 그러나 성과목표에 대한 프리스케치 과정이 제대로 이뤄지면 성과를 달성하는 데 강력한 추진동력을 얻을 수 있으므로, 이를 활용해 성과창출에 기여하는 것이 바람직하다.

예를 통해 그 실제적인 쓰임을 살펴보도록 하자. 모 프랜차이즈 식품회사에서 강남지점을 새롭게 개점하기로 하고, 이 프로젝트의 총 책임자로 윤 실장을 임명했다. 윤 실장은 TF팀원인 김 대리에게 디자인 업체에 의뢰해 고객들에게 줄 사은품 포장 케이스 제작과 관련한 견적을 받아보도록 지시했다. 업무지시를 받은 지 30분 정도 지나, 김 대리는 자신이 생각한 업무의 핵심 내용과 실행계획을 간략히 메모해 스케치페이퍼를 작성하고, 윤 실장을 찾아가 자신이 정리한 내용이 의도와 맞는지 전략코칭을 요청했다. 우선 김 대리는 스케치페이퍼에 '전년대비 견적 단가 10% 인하'라는 성과목표를 담아서 윤 실장과 먼저 합의하고자 했다. 그리고 이 목표를 달성하기 위해 강남지점의 고객 특성에 맞춰 여유로운 라이프스타일을 표현한 화사한 디자인에 신경을 더 쓰되 예산은 절감하는 것이 좋겠다는 생각을 몇 가지 항목으로 정리해 세부 과제로 추가하고 이를 윤 실장과 협의했다.

이에 윤 실장은 김 대리가 생각하는 성과목표가 자신의 의도와 같음을 확인하고, 아울러 세부적으로 추진해야 할 과제를 핵심적으로 잘 짚고 있다는 판단 하에 김 대리가 스케치페이퍼에 담아 온 내용을 대부분 수용해 견적을 받아보게 했다. 아울러 김 대리가 세부적으로 실천해야 할 추가적인 과제도 한두 가지 정도 설명해주었다. 일을 시작하기 전에 이미 윤 실장이 원하는 결과물이 무엇인지 파악한 만큼, 김 대리는 업체와 미팅할 때도 그들이 반드시 고려해야 할 항목과 예산 등의 기준을 명확하게 제시함으로써 한결 여유 있게 일의 주도권을 쥐고 업무를 추진할 수 있었다.

자신의 의도를 상사에게 정확하게 전달했다는 생각이 들더라도 고객인 상사가 그 의도를 정확히 이해하지 못하고, 상사가 원하는 아웃풋으로 보여주지 못했다면 결과적으로 보고 커뮤니케이션이 제대로 되지 않았다고 보아야 한다. 보고는 나 혼자만의 생각을 일방적으로 전달하는 것이 아니라 쌍방향으로 주고받는 것이기 때문이다.

따라서 보고할 때는 상대방이 내가 전하고자 하는 메시지를 정확하게 이해했는지 반드시 확인하고, 만약 내 의도와 다르게 이해했다는 생각이 들면 즉시 커뮤니케이션을 다시 해 오해의 소지가 없도록 세심한 주의를 기울여야 한다.

회의란 무엇인가

전략적 의사결정과
공감대 형성을 위한 '용광로'다

회사에서 자주 접할 수 있는 풍경을 하나 떠올려보자. 팀
장은 여느 때와 마찬가지로 느닷없이 회의를 소집한다. 팀원
들은 내심 인상을 잔뜩 찌푸린 채 왜 하는 회의인지도 모르고
아무 준비도 없이 그저 수동적으로 참가하고, 회의 시간 내내
팀장의 일방적인 업무지시와 질타로 거의 1시간을 소비한다.
팀원들의 고개는 점점 더 숙여지고 팀장의 목소리는 더욱 커
진 채 착 가라앉은 분위기에서 회의랍시고 모인 미팅은 종료
된다. 어딘지 모르게 찜찜한 기분을 감출 수가 없다.

또 다른 예로 워크숍workshop을 떠올려보자. 오전에 출발해서 목적지에 도착하면 바로 점심을 먹는다. 오후에는 졸음을 참아가며 회의와 토론을 하거나 강의를 듣는다. 모처럼 밖으로 나왔으니 저녁에는 맛있는 음식을 먹으며 술을 거나하게 마신다. 다음 날 오전에는 체육행사를 간단히 하거나 관광지를 둘러본 후 점심을 먹고 돌아온다. 대부분의 회사에서 이뤄지는 1박 2일 워크숍의 전형적인 일정이다.

회의나 워크숍을 하는 진정한 목적과 어떻게 하면 성과를 더 높일 것인가에 대한 진지한 고민 없이, 그저 정해진 일정이니 대충 시간만 때우면 된다는 식으로 접근한다면 이는 소중한 시간과 에너지를 낭비하게 만드는 '문젯거리'로 전락할 가능성이 농후하다.

우리는 회사에서 수많은 회의와 씨름한다. 주간 업무회의, 월간 업무회의와 같은 정보공유 성격의 일상적인 회의는 물론이거니와, ○○ TF 미팅이나 △△개선 회의와 같이 문제해결을 위해 모이는 회의에 수시로 참여하기도 한다. 그렇다면 명확하게 회의란 무엇인가? '2명 이상의 사람이 모여 어떤 주제에 관해 논의하는 것, 또는 그 일을 하는 모임'을 뜻한다.

그런데 기존에 우리에게 익숙한 '회의'란 지시와 보고의 성격이 매우 강한 것이었다. 아울러 결론 없이 문제점만 잔뜩 나열하는 피곤하기만 한 시간이라는 인식이 팽배했던 것이 사실이다. 실행의 주체는 대개 리더이고 구성원들은 리더의 실행을 돕는 보조자 역할을 해왔기에, 구성원들은 그저 해야 할 일을 지시받거나 이미 지시받은 사항에 대한 결과를 리더에게 보고하고 피드백 받는 자리라고 여겼다. 이런 문제점을 개선하고 수평적 조직문화와 창의적인 아이디어 발현을 장려하기 위해 많은 조직에서 '캔 미팅can meeting'등을 장려하고 있다. 모든 회의 참가자가 동등한 입장에서 자유롭게 토론하고 최적의 방안을 도출하며 합의하는 풍토를 만들기 위한 노력의 일환이다.

회의에 담긴 본래의 뜻은 '리더가 자신이 책임져야 할 성과목표나 해결 사항에 대해 구성원들과 함께 전략을 수립하고, 문제해결방법에 대한 구성원들의 생각을 경청하고 코칭하는 자리'다. 아무리 뛰어난 역량을 가진 리더라 하더라도 실행주체인 구성원들의 적극적인 동참을 이끌어내지 못하면 성과목표 달성은 요원할 수밖에 없기에, 그 계기가 되는 회의의 중요성은 결코 간과할 수 없다. 따라서 리더와 구성원 모두 회의를 어떻게 진행할지 함께 연구해야 하며, 그 이전에 회의의 개념과 효과적인 운영방법에 대해 정확하게 알고 있어야 한다.

성공적인 회의를 정착시키기 위해서는 '성과목표 공유', '프로세스 준수', '관계 구축'이라는 3가지 요소를 갖춰야 한다.

먼저 회의의 성과목표를 공유한다는 것은 사전에 회의의 목표를 제시하고, 반드시 결론을 도출해 애초에 설정했던 성과가 창출돼야 한다는 의미다. 예를 들어 성과목표 달성전략 수립을 위한 회의라면 성과목표 달성에 결정적인 영향을 미칠 수 있는 핵심성공요인과 예상장애요인을 파악한다는 회의 목표를 사전에 명확히 제시하고, 성과를 반드시 도출해야 한다.

■ **성공적인 회의의 조건**

성과목표 공유
• 명확한 회의 성과목표 공유
• 반드시 결론이 나는 회의

프로세스 준수

관계 구축

• 프로세스, 룰rule 준수
• 결과에 대한 백업back up

• 전원이 참여하는 회의
• 합의가 이루어지는 회의
• 참가자의 역할 명확화

프로세스를 준수한다는 것은 수립한 회의 진행계획에 따라 회의를 진행해야 한다는 것이다. 처음에는 다소 불편할지 몰라도, 프로세스를 준수하는 습관이 체질화되면 일하는 방법을 혁신할 수 있는 좋은 계기가 된다.

관계 구축은 모든 구성원이 참여해 합의를 이루어내되, 참가자들의 역할이 명확해야 함을 말한다. 몇몇 구성원들에 의해 이루어지는 회의는 공감대를 형성하기 어려우며, 설사 결론이 나더라도 실행과정이 매끄럽지 않을 가능성이 높다.

혹시라도 자신이 회의를 주관하거나 운영하게 됐을 때는 '사전 준비-시작-실시-마무리'의 4단계 순서에 따라 진행하는 것이 좋다. 먼저 사전 준비단계에서는 전체 계획을 세우고 어젠더agenda, 즉 핵심의제와 준비사항을 공지하는 것이 중요하다. 회의 목표와 참석자의 역할을 명확히 해두는 것도 빠트려서는 안 된다.

시작 단계에 들어가면 리더 혹은 사회자가 회의 목표와 회의를 진행하면서 준수해야 할 원칙을 공유한다. '발표 시 질문 3가지 이상 하기', '5분 이내에 발언 마치기' 등과 같은 식으로 참여원칙을 구체적으로 정하면 좋다. 또한 참가자들은 이 단계에서 미리 어젠더와 관련된 핵심성공요인과 예상장애요인에 대해 고민해보는 것이 좋다.

실시 단계에서는 구성원들이 자유롭게 발언할 수 있는 자리를 마련하고 성과목표 달성을 위한 최적의 아이디어를 폭넓게 수렴하는 것이 매우 중요하다. 브레인스토밍을 할 때처럼 타인의 의견에 대한 비판을 금하고, 자유분방한 분위기를 조성해 아이디어를 모으도록 노력해야 한다. 무엇보다 가능한 한 많은 아이디어를 이끌어내는 것이 중요하기 때문이다. 혹시 구체적인 아이디어가 도출되지 않거나 분위기가 침체될 경우에는 토의나 질의응답 등을 통해 아이디어를 구체화하는 것 역시 좋은 방법이다. 그래도 개선되지 않으면 구성원들에게 현재까지 도출된 아이디어를 검토하고 다른 관점에서 생각해볼 것을 제안한다.

마무리 단계에서는 회의의 성과와 실제 논의된 내용을 요약하고 정리함으로써 끝을 맺는다. 사후 조치사항에 대해 명확하게 공지하고 논의된 내용을 회의록 형태로 송부해 구성원들이 실행으로 옮길 수 있도록 해야 한다.

직급이란 무엇인가
직급은 '계급'이고 직책은 '역할'이다

한 온라인 업체에서 500여 명의 직장인을 대상으로 회사에서 '가장 어이없는 신입사원'의 유형을 조사했다고 한다. 그 결과 '회사에서 형, 언니 같은 호칭을 쓰는 자유호칭형'이 1위에 올랐다. '자유호칭형 신입사원'에 대해 선배사원들은 '옳지 못한 행동으로, 지적하고 고치도록 충고하겠다'는 의견이 대부분이었지만, 반면 직접적인 지적 없이 바로 '인사평가에 반영하거나 업무 진행시 불이익을 준다'는 냉정한 의견도 있었다.

사실 회사에 입사하기 전에 회사의 인력운영 기준인 직무, 직위, 직급, 직책 등을 구분해 들은 적이 없다 보니 사회통념 상 부르기 쉬운 호칭인 '형', '언니' 등으로 선임사원들이나 리더들을 부르는 경우를 간혹 목격할 수 있다. 이런 호칭을 사용한다면 가족적인 분위기를 조성해 정서적 친근감을 느낄 수도 있겠지만, 엄연히 회사는 일을 하기 위한 조직이며 이익을 추구하는 사회집단이므로 일정 수준에서 지켜야 할 규칙이 있다.

회사에는 다양한 구성원들과 이해관계자들이 모여 있기 때문에 공식적인 운영기준이 필요하다. 운영기준에는 각 구성원들의 조직 내 위치, 임무와 역할을 나타내는 다양한 기준들이 있다. 사원, 대리, 과장, 차장, 부장 등과 같은 직위가 있으며, 사장, 본부장, 사업부장, 공장장, 연구소장, 지점장, 팀장, 그룹장, 파트장, 팀원 등을 가리키는 직책이 있다. 또한 인사 업무, 영업 업무, 연구개발 업무 등으로 나타나는 직무가 있으며, 1급, 2급, 3급, 4급, 5급 등의 직급이 존재한다. 이때 '직위'는 업무상 기능의 분류와 역할의 구분이 합쳐진 개념으로 직무를 수행하기 위한 회사 내의 위치를 말하며 '직책'은 수행해야 할 임무와 역할과 감당해야 할 성과책임의 범위를 규정한 것을 말한다.

직위, 직책, 직급 등의 개념에 대해 명확히 파악하는 것은 구성원들이 장기적인 관점에서 회사 생활을 설계하는 데 도움이 된다. 즉 자신의 역할수행 범위와 자원 관리의 범위가 증대되고, 더불어 보다 폭넓은 사업을 추진할 수 있는 자리로 올라갈 수 있다는 희망을 갖게 함으로써 구성원들을 동기부여시키는 데 일조한다. 또한 흔히 하는 '자리가 사람을 만든다'는 말도 있듯이, 어떤 직책이나 직위는 해당 구성원의 잠재력을 자극해 본인조차 믿을 수 없는 에너지를 발산하게 만드는 촉진제로서의 역할을 한다.

따라서 직위, 직책, 직급 등의 개념을 잘 이해하고 자신의 역할을 훌륭히 수행하며 구성원들과 소통하는 데 해당 직책과 직위를 적절히 활용할 수 있는 사람이라면, 회사 내 어느 분야에서든지 조직이 원하는 탁월한 성과를 창출하는 핵심인재로 성장할 가능성이 높다.

또한 회사는 공동의 목표를 달성하기 위해 모인 집단이기 때문에 직위, 직책, 직급 등을 이해하게 되면 회사에서 수행하는 다양한 일들을 좀 더 명확하게 이해할 수 있다. 다시 말해 회사에서 해당 직위와 직무를 수행하는 사람들이 어떤 일을 하고 있는지, 그 직무와 직책상 성과책임도 알 수 있다. 즉 업무를 수행하면서 필요한 일의 근본적인 목적까지 이해하는 계기가 된다.

과거에는 학력, 경력, 자격과 같은 연공서열에 의해 회사 내 계급도 높아지는 구조였지만, 오늘날 직급이나 직책이 높아진다는 것은 연공서열과 직접적인 연관이 없다. 회사 내에서 높은 계급으로 올라간다는 것은 그만큼 중요하고 어려운 역할과 책임을 다하고 역량을 발휘해야 한다는 것이기 때문에, 단순히 직급이 높아지거나 상위 직책을 보임 받았다고 해서 이 세상 모든 것을 다 얻은 양 좋아만 하고 있어서는 안 된다.

만약 팀장 직책에 보임됐다면 일 관리, 사람 관리, 조직 관리 측면에서 비전제시자, 창조적 동기부여자, 평가자라는 역할을 어떻게 잘 수행할 것인지 진지하게 고민해야 한다. 구성원들도 마찬가지다. 팀원도 직책이므로, 내 직책을 제대로 수행할 수 있도록 팀장이 부여한 목표를 달성하기 위해 창의적인 아이디어를 발현하고, 얼마나 자발적으로 실행할 수 있을지 깊이 있게 성찰해야 한다.

생텍쥐페리의 소설 《어린 왕자》에는 점등인이 등장한다. 누군가의 명령을 받아 가로등을 켜고 끄는 일을 하는 점등인은 전에는 저녁에 한 번 가로등을 켜고 아침에 한 번 가로등을 끄면 됐지만, 지금은 1분에 한 번씩 가로등을 켜고 꺼야 했다. 어린 왕자는 점등인에게 물었다.

"그런데 왜 불을 꺼요?"

"명령이니까!"

"알 수 없는걸요?"

"알고 말고 할 것 없어. 명령은 명령이니까. 안녕!"

점등인은 왜 그 일을 하는지, 즉 일의 목적이 무엇인지 전혀 알지 못한 채 일만 하고 있었던 것이다.

주위를 둘러보면 내가 부여받은 직위, 직책, 직급에 따라 무슨 일을 해야 하는지, 왜 해야 하는지 모른 채 일을 하는 사람들을 종종 볼 수가 있다. 내가 하는 일의 기본적인 내용과 그 일을 수행하는 목적을 이해하기 위해서는 자신의 직책과 직위를 제대로 알 필요가 있으며, 자신의 업무에서 담당하고 있는 성과책임을 이해하기 위해서라도 이에 대해 알아두어야 한다.

아울러 과거에는 나이, 경력, 지식, 스킬 등에 의존하던 체계에서 이에 따라 업무를 부여하고 표준화된 업무를 수행하도록 했지만, 최근에는 성과책임에 따른 역할을 중시하고 어떤 일을 하는가 하는 직무 중심으로 회사의 인력관리 기준이 바뀌고 있다. 즉 무슨 일을 하는가도 중요하지만, 어떤 책임을 맡고 어떤 역할을 수행하느냐가 회사 내 직급이나 계급적 사고보다 더 중요한 시대가 도래한 것이다. 이런 추세에 발맞춰 최근 일부 회사에서는 보다 수평적인 커뮤니케이션과 구성원 간 협력을 강화하려는 목적으로 직급 파괴, 호칭 파괴, 승진 최소연한 폐지 등의 제도를 시행하고 있다.

평가란 무엇인가

구성원의 자질과 업무수행결과에 대해 '가치를 매기는 것'이다

대개 연말이면 상사와의 개별면담을 통해 한 해 동안 자신이 달성한 성과에 대해 평가하고 그 결과를 공유하는 시간을 갖는다. 여기서 '공유'라고 말했지만 구성원 입장에서 보면 사실은 한 해 달성한 실적의 평가결과를 일방적으로 통보받는 경우가 대부분이다. 하지만 한편으로는 기존 평가제도에서 미흡했던 부분을 인식하고 보다 도전적이고 동기부여가 될 수 있도록 평가 패러다임을 전환하려는 시도도 이루어지고 있다. 승진을 염두에 둔 돌려먹기식 평가, 관대화 평가 등의 구태의연한 방식에서 성과목표에 의한 객관적인 평가, 일에 대한 도전의식과 사업가적인 마인드를 불어 넣을 수 있는 평가로의 전환이 대표적인 방향이다.

'평가'라는 것이 회사 전체의 성과창출과 구성원 개인들의 삶 속에서 중요한 역할을 차지하고 있기 때문에 그 정확한 개념을 짚어볼 필요가 있다. 즉 평가가 변화하는 추세에 발맞춰 이와 관련된 용어들을 정확하게 이해하고, 각 용어들이 추구하는 철학과 숨겨진 의미가 정확히 무엇인지 곱씹어보는 것은 조직구성원들에게 매우 중요한 일이라 할 수 있다.

평정 vs 고과 vs 평가

흔히 많은 기업과 공공조직에서 '평정評定, rating', '고과考課, appraisal', '평가評價, evaluation'라는 용어를 이리저리 혼용해서 쓰고 있기 때문에, 자칫 모두 '평가'와 똑같은 뜻일 것이라고 생각하는 오류를 범할 가능성이 높다. 엄밀히 이야기하면 이 3가지 개념들은 서로 조금씩 차이가 있어 명확히 구분된다.

우선 '평정'이란 '평가대상자인 구성원들의 태도를 평가하여 상호 비교해 서열을 정하는 방식'을 의미한다. 즉 구성원들의 인격적인 특성이나 성격, 성향, 태도와 같은 특질을 비교해 서열화하는 것이라고 생각하면 이해가 쉬울 것이다. 지금은 거의 쓰이지 않지만, 보수적인 공공기관 및 정부조직을

공공기관 근무실적 평정 사례

연번	단위 과제	업무 비중	주요실적	평정요소			합산 점수
				업무난이도 (10)	완성도 (50)	적시성 (40)	
1	인터넷 신문 컨텐츠 개발	10	인터넷 기사 게재 100건	10	45	30	95
2	녹색대회 등 주요 행사 제고	15	지역축제 3회, 국제컨퍼런스 1회	10	40	40	90

중심으로 일부 쓰이고 있는 개념으로 보통 위의 표와 같이 태도와 관련된 개인별 근무실적에 대해 평가점수를 매겨 구성원 간에 비교하는 방식으로 실행된다.

'고과'란 한마디로 말해서 '구성원들이 보유하고 있는 능력과 습관적 행위what he does의 우열을 가리는 것'이다. 이는 조직 내 구성원들이 보유하고 있는 기본 능력, 예를 들어 학력, 직무경험, 자격증, 스킬 등과 같은 요소들을 중심으로 평가하고, 아울러 미래지향적인 행동개발을 촉진하도록 하는 데 중점을 둔 개념이다. 평가와 가장 많이 혼용되어 쓰이는 개념이기도 하다.

마지막으로 '평가'란 '평가 행위를 하는 그 자체가 목적이 아니라, 평가대상인 조직 혹은 개인의 성과목표 달성도, 역량 발휘 정도, 그리고 목표달성과정이라는 통합적인 매니지먼트

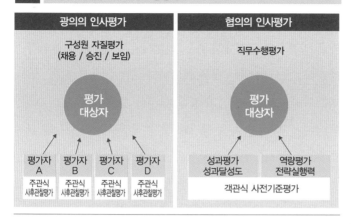

구성원 자질평가와 직무수행평가

광의의 인사평가	협의의 인사평가
구성원 자질평가 (채용 / 승진 / 보임)	직무수행평가
평가 대상자	평가 대상자

평가자 A	평가자 B	평가자 C	평가자 D
주관식 사후관찰평가	주관식 사후관찰평가	주관식 사후관찰평가	주관식 사후관찰평가

성과평가 성과달성도	역량평가 전략실행력
객관식 사전기준평가	

를 목적으로 평가결과를 다양하게 활용하려는 입체적인 행위'를 일컫는다. 평가의 관점에서 보면 리더가 단순히 구성원들에게 평가결과를 통보해주고 내가 할 일은 다했다는 식으로 이야기할 것이 아니라, 성과목표와 전략 그리고 역량에 대한 사전 기준과 결과 모두를 구성원들과 합의하고 향후 원하는 성과를 달성하기 위한 발전의 기회로 삼아야 한다는 의미를 내포하고 있다.

한편 평가는 그 목적과 활용범위에 따라 크게 '구성원 자질평가'와 구성원들이 수행하고 있는 업무에 대한 '직무수행평가'의 두 축으로 나눌 수 있다.

먼저 광의의 평가를 의미하는 '구성원 자질평가'란 평가자가 평가대상자의 업무행위를 평가기간 동안 관찰하고 기록한 것을 바탕으로 조직에서 요구하는 개념적 역량기준에 입각해 주관식으로 평가하는 것을 의미한다. 일반적으로 채용, 승진, 직책보임, 교육훈련 등과 같은 부문에 활용할 수 있다. 예를 들어 승진 대상자 혹은 팀장과 같은 직책보임 대상자를 결정할 때는 한 사람이 의사결정을 하기보다는 평가대상자와 함께 일했던 많은 리더들이 모여 일정한 평가기준에 입각해 각자 주관적인 가치판단의 결과를 놓고, 자질이나 미래 잠재력을 평가해 다양한 시각에서 논의하고 결정을 내린다. 이런 경우가 바로 구성원 자질평가에 해당된다. 주로 인사팀 주관으로 진행되며, 각 평가자의 특성과 직무 타입에 따라 주관적 가치요소들이 개입되는 상황을 어느 정도 허용한다.

이에 비해 협의의 평가 개념인 '직무수행평가'는 일반적으로 성과와 역량이라는 두 관점에서 주어진 일을 얼마나 제대로 실행해 조직에 기여했는가를 평가하는 것이다. 기존의 평가는 일반적으로 구성원에 대한 자질평가를 염두에 두는데, 직무수행평가는 구성원의 자질에 대한 주관적인 가치판단보다는 주어진 일을 기준에 대비해 얼마나 객관적으로 실행했는가 여부를 따지는 기준 중심의 평가다. 크게 성과평가와 역량평가로 구분할 수 있으며, 성과목표를 달성하기 위해 '얼마나 도움이 되는 과제를 수행했는가' 하는 전략적 실행력은 역량평가, 그 결과물로서 성과지표와 수치로 나타낸 객관적인 성과목표 대비 달성도는 성과평가로 한다.

이때 객관적인 사실fact에 근거해 엄정하게 평가하는 것이 핵심이다. 특히 성과평가를 할 때는 평가척도, 평가항목별 가중치 등을 사전에 리더와 구성원이 합의하고, 그 항목에 근거해 객관적으로 평가하는 것이 옳다. 이는 현업 구성원들을 가장 가까운 곳에서 보고 판단할 수 있는 현업 팀장 중심으로 운영하는 것이 바람직하다.

오늘날 대부분 회사의 인사평가 구조는 직무수행기준의 '성과평가成果評價, performance evaluation', 그리고 '역량평가力量評價, competency evaluation'로 되어 있다. 다시 말해 조직과 개인 차원의 '직무수행평가'라는 틀 안에서 성과와 역량이라는 두 관점으로 객관적인 평가를 시행하는 것이다.

회사의 조직 역량과 전략적 방향성이 어떠한가에 따라 성과평가와 역량평가의 기준을 적용하는 범위와 수준은 천차만별이다. 전통적으로 인사평가의 가장 중요한 이슈는 성과평가와 역량평가의 객관성 확보이기 때문에, 그 개념에 대해 관심을 갖고 확실하게 이해해야 한다.

먼저 '성과평가'란 '직무수행과 관련해 사전에 합의한 성과목표를 기준으로 계획 대비 달성도를 평가하는 것'을 말한다. 따라서 성과평가를 제대로 하기 위해서는 상위조직의 성과목표와 전략적으로 연계된 범위 안에서 각 평가대상자들이 성과기준을 사전에 제대로 세우고, 이를 합의한 상태에서 진행해야 한다. 만약 그렇지 않다면 자신이 아무리 열심히 일을 해도 고객이나 상사의 입장에서는 원하는 성과가 나오지 않은 것으로 비춰지고, 따라서 성과에 대한 평가를 제대로 할 수 없게 된다.

반면 '역량평가'는 '구성원들의 직무수행능력을 성과창출을 위한 전략과제와 연계시켜, 이에 적합한 역량을 발휘하는 것과 관련된 기준을 도출하고 실제로 구성원들이 성과목표 달성을 위한 바람직한 행동을 조직 내에서 얼마나 제대로 발휘했는지 관찰하고 평가하는 것'을 의미한다. 다시 말해 성과목표를 달성하기 위해 배분된 세부추진과제 중에서도 특히 전략실행과 긴밀히 연계된 핵심적인 행동특성을 중심으로 평가하는 것이다. 따라서 역량평가의 경우 개인의 역할 또는 맡고 있는 업무의 종류나 수준에 따라 평가대상자에게 적용되는 평가기준이 달라질 수 있다. 간혹 '이것도 잘하면 좋겠고, 저것도 잘하면 좋겠는데…' 하면서 직관적으로 필요하다 싶은 역량을 백화점식으로 나열해 이를 역량평가의 기준으로 삼기도 한다. 하지만 이는 자칫하면 성과창출에 꼭 필요한 바람직한 행동들을 오히려 소홀히 하는 결과를 초래할 수도 있기 때문에 지양해야 한다. 역량평가를 할 때는 당해 연도 성과목표를 달성하기 위한 전략을 실행하는 관점에서 가장 바람직한 행동특성이 무엇인지 먼저 도출해야 한다. 그리고 그와 관련된 전략적 의도를 보다 명확히 해 측정 가능한 형태의 평가지표로 활용할 수 있는 핵심행위지표를 정함으로써, 구성원들이 어떤 방향으로, 어떻게 실천해야 할 것인지 명확하게 알려주어야 한다.

사례를 통해 성과평가와 역량평가에 대한 이해도를 높여보자. 어느 제지 회사의 경기지역 영업을 담당하는 영업 1팀은 올해 매출목표인 1억 원 달성을 위한 전략을 수립한 결과, 수원지역을 담당하는 김 대리는 친환경 복사용지를 1,000박스, 성남지역을 담당하는 이 주임은 800박스를 판매하기로 사전에 협의했다. 개인에게 부여된 목표는 곧 상위조직의 성과목표와 전략적으로 연계됨으로써 김 대리와 이 주임이 반드시 달성해야 할 성과목표가 되는 것이며, 올 연말에 목표에 대비해 얼마만큼을 달성했는가를 평가하는 것이 성과평가다.

만약 김 대리가 전년도에 700박스의 판매 성과를 올렸다고 가정해보자. 올해 1,000박스의 성과목표에 대한 평가척도는 700박스 미만의 성과를 달성했을 경우에는 전년보다 악화

됐으므로 D단계, 700~850박스 미만의 성과의 경우는 일부 향상되기는 했으나 현상유지를 한 C단계, 850~1,000박스 미만의 성과는 목표에 약간 미달한 B단계, 1,000~1,150박스 미만의 성과의 경우 올해 목표를 달성한 A단계, 1,150박스 이상의 성과를 달성한 경우에는 목표를 초과한 S단계가 된다. 김 대리는 이러한 평가척도를 통해 업무를 시작하기 전 자신이 어떠한 평가를 받을지 예측할 수 있다.

이 과제를 수행하는 과정에서 성과창출을 위해 바람직한 행동들을 제대로 실천했는가를 평가하는 것은 물론 역량평가에서 다뤄진다.

김 대리가 속한 영업 1팀의 역량 항목 중에는 현실에 안주하지 않고 고정관념을 탈피해 새로운 것에 적극적으로 도전함으로써 업무 혁신을 추구한다는 '과감한 도전'이 있었다. 이에 따라 영업 1팀장은 '과감한 도전'이라는 역량 항목에 대한 평가기준을 '기존 거래처 외에 새로운 거래처를 3건 이상 개척하는 것'으로 정했다. 만약 이 주임이 성남지역에서 800박스를 판매하기 위해 적극적으로 노력하여 새로운 거래처를 3건 이상 개척했다면, 기준점을 달성한 'A' 이상의 평가를 받게 된다.

리더와 구성원이 합의해 연초에 성과목표를 제대로 설정하고, 실행할 때 리더의 코칭과 동기부여가 철저히 이루어지고, 구체적인 피드백을 주고받는 일련의 과정들이 진행됐다면, 연말의 성과평가와 역량평가에서 리더와 구성원이 기대했던 결과물을 예상해볼 수 있을 것이다.

이때 순위를 매겨 누구를 떨어뜨리려고 하는 '사정査定'의 관점에서 평가를 적용하는 것은 바람직하지 않다. 예상되는 평가결과를 바탕으로 어떤 점을 보완하고 개선해야 역량을 키우고 성과를 향상시킬 수 있는가 하는 관점을 항상 견지해야 한다.

절대평가 vs 상대평가

또한 평가는 평가방법에 따라 기록경쟁 방식의 '절대평가絕對評價, record competition'와 순위경쟁 방식의 '상대평가相對評價, ranking competition'로 구분할 수 있다. 절대평가란 '평가기준을 명확히 설정해 사전에 합의하고, 그에 따라 다른 사람과 비교하는 것이 아니라 자기 자신이 부여받거나 달성해야 할 절대적 목표수준과 비교해 기준 대비 달성도를 평가하는 것'을 말한다. 기록경쟁의 의미와 같은 맥락이라고 볼 수 있다.

반면 상대평가란 '타인 혹은 타 조직과 비교해 팀별 혹은 개인별 성과에 대한 서열을 매기고 평가하는 것'이다. 상호경쟁심을 유발시키려는 목적이 포함돼 있으며, 타인을 의식한 순위경쟁의 메커니즘이라 할 수 있다.

절대평가의 경우 사전에 정해진 절대 기준에 의거해 평가함으로써, 평가대상자의 결과에 대한 납득성과 신뢰성을 높일 수 있다는 장점이 있다. 여기에서 정해진 기준이라는 것은 사전에 상위조직과 합의한 성과목표 달성정도를 판단할 수 있는 기준을 의미한다. 다만 평가자와 평가대상자가 책임감을 갖고 공정하게 평가항목과 그 세부 내용을 미리 결정해야 하므로, 이 과정에서 적지 않은 시간과 노력이 소요된다는 부수적인 부담감이 있다. 그러나 절대평가는 구성원들의 역량을 전반적으로 상향평준화하는 계기가 될 수 있다는 점에서 그 중요성이 날로 커지고 있는 실정이다. '절대 반영'이라는 메커니즘을 통해 자신이 달성해야 하는 목표수준과 경쟁해 이긴 사람이라면 누구나 좋은 평가를 얻을 수 있도록 하는 것은 구성원들의 도전정신을 함양하고 진정한 사내기업가로 육성하는 데 중요한 역할을 한다.

반면 상대평가는 순위경쟁이라는 평가구조 안에서 상호비교를 하는 만큼 평가기준을 결정하는 것이 상대적으로 쉽고, 더불어 평가내용 설계에 그다지 많은 시간이 소요되지 않는다는 이점을 갖고 있다. 개인 간의 실력차이를 구분하는 선별적인 기능이 있다는 것 역시 장점이다. 하지만 무엇보다도 인위적으로 등급이나 순위를 재단하는 행위에 초점을 맞추기 때문에, 이에 대한 부작용이 크다. 구성원들이 자신들의 성과목표를 달성하기 위해 집중하는 것이 아니라, 목표달성을 떠나 단지 내가 혹은 우리 조직이 몇 등 이내에 반드시 들어야 한다는 압박감으로 다른 사람과의 순위경쟁을 목적으로 삼게 되는 경우가 허다하다. 따라서 평가를 통해 진정으로 얻고자 하는 바가 물거품이 되고 마는 아이러니컬한 상황이 반복될 수 있다.

평가의 중요한 목적 중 하나는 달성한 성과를 자신의 목표와 대비해 분석해봄으로써, 자신의 역량수준을 명확하게 인지하고 향후 보완해야 할 역량을 개발하는 계기를 만드는 데 있다. 그런 점에서 상대평가는 절대적 수준의 역량개발과 적재적소의 인력 배치 등 지속적인 성과를 달성하기 위한 인프라를 구축하려는 궁극적인 목적에 그다지 바람직하지 않은 관점이다.

절대 기준으로 비추어볼 때 우열을 가리기 쉽지 않은 고성과자들이 많다고 가정해보자. 탁월한 성과를 냈음에도 불구하고 특정 조직 내 혹은 다른 경쟁자들과의 비교를 통한 상대평가 때문에 상대적으로 저평가를 받게 된다면, 사기가 저하돼 향후 성과창출에 악영향을 미칠 가능성이 높다.

마라톤 선수들은 통상 올림픽 경기에서보다 세계선수권대회에서 월등히 좋은 기록을 낸다고 한다. 이는 아무래도 올림

픽의 경우 기록 단축보다는 금, 은, 동메달과 같은 순위 경쟁이 더 부각되기 때문에, 절대 수준의 기록 경쟁을 추구하는 세계선수권대회보다 전체적으로 좋지 못한 결과가 나오는 것이다.

상대평가와 절대평가는 각각 그 나름의 장점과 단점을 가지고 있다. 하지만 일을 통해 자신의 역량을 키우고 성장해야 하는 관점에서 본다면, 다른 이들과의 순위 경쟁을 부추기는 상대평가보다는 자신과의 경쟁에서 이기는 힘을 길러주어 구성원들의 실력을 전체적으로 상향평준화하는 데 도움을 주는 절대평가가 더 많은 이점이 있다.

다면평가

이외에도 평가는 평가자를 기준으로 상사가 평가자인 하향식 '상사평가'와 부하들이 평가자가 되는 상향식 '부하평가', 상사, 부하, 동료 등을 평가자로 하는 '다면평가多面評價, 360 degree feedback'로 나누어볼 수 있다. 다면평가란 상사의 주관적 관점에 의해 인사평가 결과가 좌우되는 상사평가의 단면성을 극복하기 위한 시도로 도입된 것이다. 평가자 중심의 평가 문화, 그에 따른 평가결과에 대한 불신을 해소하고자 하는 측면에서 1990년대에 미국에서 도입한 '360도 피드백'이라는 용어를 다면평가로 번역해 활용하기 시작했다.

다면평가란 '평가대상자를 전방위적인 측면에서 평가하고 피드백하는 기법'을 말한다. 조직에서는 상사가 하급자를 혹은 하급자가 상사를 일방적으로 평가해 피드백을 주는 대신, 다양한 출처에서 나온 의견을 종합함으로써 보다 정확한 실상을 평가대상자에게 피드백하고자 하는 목적으로 쓰인다. 정확한 피드백을 통해 평가대상자의 자기 인식 수준이 높아지게 되고, 이를 바탕으로 자신의 역량과 행위 태도들을 개선하게 돼 다시 조직의 성과가 높아진다는 논리를 기반으로 하고 있다.

다면평가에 대해 논의하거나 제도적으로 시행할 때 우리가 유념해야 할 부분이 2가지가 있는데, 첫째는 '평가자의 다면화'이고 두 번째는 '평가기준의 다면화'다.

먼저 '평가자의 다면화'란 '공통의 개념적 기준을 두고 복수의 평가자들이 평가대상자에 대해 주관적 자질평가를 함으로써 평가자 시야가 한정되거나 평가자 개인 성향에 따른 오류를 최대한 줄이려 하는 것'을 의미한다. 예를 들어 홍길동 대리에 대한 승진 심사를 한다고 했을 때 A 사업부장은 "홍 대리는 마케팅 역량이 매우 뛰어나 승진을 시켜도 무방할 것 같습니다"라고 의견을 제시할 수 있고, B 사업부장의 경우에는 "홍 대리는 제가 옆에서 지켜보니 생각보다 커뮤니케이션

능력이 다소 부족하고 동료들의 평판도 그리 좋지 않습니다. 홍 대리를 이번 승진자 명단에서 제외시키는 게 좋겠습니다"라고 말할 수 있다. 이런 방식으로 복수의 평가자들이 다양한 평가 의견을 내서 그 의견을 종합적으로 수렴하는 것을 평가자의 다면화라고 한다. 주로 평가자들의 사후 관찰 평가가 적용되는 경우가 많으며, 평가대상자의 태도나 행동과 같은 자질 개선을 목적으로 한다.

다음으로 '평가기준의 다면화'를 생각해봐야 하는데, 이는 '평가대상자의 탁월한 업무수행 여부를 판단할 수 있는 기준을 다면적(주로 상사, 동료, 부하)으로 사전에 파악해 이를 평가기준에 반영하고, 평가대상자에게도 미리 알려주어 일정기간이 지난 후 그에 따라 평가하는 것'을 의미한다.

예를 들어 김 팀장에 대한 다면평가기준을 만든다고 했을 때, 먼저 김 팀장의 상사인 사업부장들에게 김 팀장이 업무를 제대로 수행했는지 판단할 수 있는 기준이 무엇인지 물어보아야 한다. 이때 '팀원 면담 월 2회 이상 실시', '업무 중간보고 1회 이상 실시' 등의 기준이 도출됐다고 하자. 동료 팀장들은 '타 부서 업무 협조시 1주일 전 공유', 팀원들은 '질책보다는 칭찬 월 2회 이상 하달' 등의 요구사항을 제시했다면, 이를 전체적으로 평가기준에 반영하고 평가대상자에게 6개월이나 1년 전에 미리 알려주는 것이다. 이와 같이 다면평가라는 개념 내에서도 활용 목적에 따라 중요한 적용기준이 있음을 이해하는 것이 중요하다.

그러나 다면평가는 이러한 논리성과 초기의 높은 기대에도 불구하고 미국에서만큼 폭발적인 인기를 누리거나 전면적으로 확산되지 못했다. 그 이유는 무엇일까?

다면평가의 가장 큰 환상은 '여러 명이 평가하면 정확성이 높아진다'는 것인데, 실제로는 평가자의 수가 산술적으로 늘어난다고 해서 정확성이 높아지지는 않는다. 오히려 평가능력이 부족한 다수가 참여하면 한 사람의 평가보다 신뢰성이 더 떨어질 가능성도 있다. 또한 '익명성이 보장되면 솔직하고 정직한 평가가 가능하다'고 하는 인식 역시 익명성을 빌미로 특정 사안에 대해 편향된 평가를 하거나 담합을 통해 특정인에게 의도적으로 부정적인 평가를 내리는 '반란' 현상이 나타날 위험도 내포하고 있다.

이러한 문제점 때문에 다면평가는 처음에는 조직구성원을 육성하기 위해 시행하다가, 점차 인사평가나 처우결정 등 성과관리의 목적으로 활용 범위를 넓히는 실정이다. 그러나 그 결과를 성과관리의 용도로 사용하는 것에 대해 현재 갑론을박이 뜨겁게 전개되고 있다. 아마도 우리나라에서 육성의 용도로 먼저 시험해보지 않고 바로 성과관리 도구로 활용한 것이 다면평가에 대해 실망하는 주요 요인이 됐을 것이다.

그럼에도 불구하고 다면평가는 조직의 문화변화, 경쟁력 강화, 역량 증대에 많은 공헌을 할 수 있고 조직구성원들에게 필요한 역량 강화에 도움을 줄 수 있는 가능성이 충분하므로, 그 개념을 좀 더 정확히 이해할 필요가 있다. 이를 바탕으로 충분한 실험과 검증을 거쳐 구성원 육성에 활용한다면 얼마든지 성과관리에 적용할 수 있다는 이론적, 경험적 사례는 이미 많다.

정리해보자. 다면평가를 실시한다고 해서 반드시 평가의 신뢰성이 높아지는 것은 아니다. 실제로 다면평가 제도를 도입한 기업들이 단기간 내에 효과를 얻기는 매우 어려운 것으로 알려져 있다. 하지만 비록 부족한 면이 있더라도, 다면평가에는 기존 평가의 문제점을 보완할 수 있는 측면이 분명히 존재한다. 특히 평가문화의 토대가 취약한 우리나라 기업들은 전반적인 평가제도의 효과적인 시행을 위해서라도 긍정적으로 검토할 필요가 있다. 그러므로 점진적으로 학습 과정을 거친 후 전향적으로 다면평가 제도를 도입하고, 시사점을 찾기 위해 지속적인 노력을 기울여야 한다.

이와 같이 평가에 대해 정확히 알게 되면 자신이 달성한 성과가 어떻게 평가받는지 알 수 있고, 평가의 결과가 활용되는 승진이나 직책보임, 보상의 근거에 대해서도 좀 더 명확하게 이해할 수 있다. 또한 자신이 하는 업무가 어떤 식으로 평가받고, 피드백돼야 하는지도 확실히 알 수 있고, 그에 따라 자신의 행동도 바람직하게 변할 수 있다.

급여란 무엇인가
'부가가치 창출'의 대가다

치열한 경쟁률을 뚫고 입사했음에도 회사에 대한 만족도가 높은 신입사원이 생각보다 적다고 한다. 한 온라인 업체가 남녀 직장인 600여 명을 대상으로 '첫 직장 만족도'를 조사한 결과, 응답자의 60% 이상이 실망스럽다고 답했다. 30%는 '그저 그렇다'고 답했고, '회사가 만족스럽다'는 응답은 10% 미만인 것으로 나타났다. 신입사원들은 과연 어떤 점이 불만일까? 상당수가 '생각보다 적은 월급에 비해 세금이 높은 것'이라고 답했다. 특히 가장 실망했던 순간이 '월급명세서를

받았을 때'라고 말해 요즘 신입사원들에게 급여가 직장만족
도에 얼마나 많은 영향을 미치는지 알 수 있다.

사실 우리는 그동안 급여를 '노동을 제공한 대가'이자 '생
계유지를 위한 수단'이라고 단순하게 봐왔다. 회사에서 역시
'노동력을 제공받기 위한 임금', '노사교섭의 가격', '생산비
용으로서의 원가'로 여긴 것이 현실이다. 하지만 최근 우리가
당면하고 있는 급박한 경영환경 변화에 비추어볼 때, 급여를
바라보는 시각과 그 의미를 다시 한 번 되새겨봐야 할 필요가
있다.

급여가 생계유지의 가장 기초적인 수단이라는 것에 이의
를 달 사람은 없다. 하지만 한발 더 나아가서 생각해보면 급
여는 회사에서 자신이 인정받기 위한 수단이자, 동시에 사회
적인 성취감을 나타낼 수 있는 밑바탕이기도 하다. 즉 급여를
단순히 금전적인 보상의 의미로만 인식할 것이 아니라 '수행
한 일에 대한 보람'과 '직업적 성취에 대한 보람', 나아가 '회
사와 사회에 기여한 보람'이라는 의미를 찾는 것이 필요하다.

연봉제 vs 월급제

급여형태는 크게 연봉제年俸制, annual base salary와 월급제月給制,
monthly base salary로 나눌 수 있다. 이는 본래 일당, 주급, 월급,
연봉과 같은 임금지급 기준에 대해 이야기할 때 사용하는 개

념이다. 연봉제란 '기존에 임금결정의 기준으로 적용했던 직무 특성이나 연령, 성별, 근속연수 등이 아니라 개인별 성과를 평가한 기준에 의해 연간 임금액을 결정하고 지급하는 차등 임금지급체계'를 의미한다. 사전에 체결한 일정한 계약을 성실히 이행하고 그 결과를 근거로 임금을 지급하는 연간 단위 계약이며, 일의 결과를 보상과 연결시킨 시스템이라고 할 수 있다. 반면 월급제는 '성과와 역량보다는 근속연수를 기반으로 하여 근무시간을 근거로 임금을 결정하는 임금제도'로, '1개월을 단위로 임금을 산정해 지급하는 임금지급체계'를 의미한다.

이런 점에서 볼 때 월급제는 '종업원'을 위한 임금 프로그램이고, 연봉제는 원래 의도를 감안했을 때 '사내기업가'를 위한 임금 프로그램이라고 할 수 있다. 기업에 연봉제가 도입된 이론적인 배경은 여러 측면으로 설명할 수 있겠지만, 가장 큰 배경은 고객중심의 시장 환경 도래다. 어떤 이들은 연봉제가 미국식 임금 프로그램이라고 하지만 연봉제의 고향은 미국이 아니라 바로 고객중심의 시장이다. 시장 환경이 예전처럼 기업 중심이고 경영환경이 공급자 중심으로 계속 흘러갔다면 연봉제 프로그램은 굳이 도입되지 않았을 것이다.

1990년대 초반까지 대부분의 기업들은 근속연수와 근무시간에 따라 임금을 지급하는 월급제를 주로 운영했다. 그러나 글로벌 시대가 도래하며 시장경쟁이 심화됐고, 시장 상황과 직무성과에 따라 임금을 차등 지급하겠다는 일부 기업들의 움직임이 일면서 연봉제가 유행처럼 도입되기 시작했다. 미국은 주로 직무성과급, 일본은 직능성과급의 형태로 도입됐는데 우리나라는 연공성과급 형태가 도입돼 한국형 연봉제를 대표하는 것으로 널리 인식되기에 이르렀다. 최근 연봉제의 도입 실태를 살펴보면 국내 기업에서도 연봉제나 성과급 등 서구식 성과보상 체계가 빠르게 정착되고 있는 것을 알 수 있다(연봉제 실시와 관련해 통계청이 발표한 가장 최근 자료인 '2006년 기업 활동 실태 조사 결과'에 따르면, 전체 조사 대상 1만 786개 기업 가운데 연봉제를 도입한 기업은 7,263개로 한 해 전에 비해 3.9% 증가했으며, 연봉제 적용업체 비중도 64%에서 67%로 3% 높아진 것으로 조사됐다).

연봉제는 기업경영의 실무적인 의미에서 '차등 보상제'의 대명사로 각인돼 있다. 차등보상은 주로 구성원이 보유하고 있는 직무역량의 수준, 즉 시장가치가 어느 정도인가를 기준으로 이루어지고, 그다음으로는 구성원들이 일을 통해 달성한 성과 혹은 결과가 조직에 어느 정도 기여했는가에 따라 활용된다. 한마디로 '책임분담제도'의 성격이 기본에 내재돼 있다.

한편 월급제는 한 달 동안 만근을 하면 그에 대해 임금을 지급하는 제도다. 조직 차원의 실무적 의의에 충실한 표현으로는 '열심히 일한 근로시간에 대한 보상의 관점에서 구성원들에게 임금을 지급하는 것'이다. 여기에는 업무분장된 일을 최선을 다해 열심히 했는가 하는 '업무분담제도'의 성격이 내재돼 있다. 즉 구성원들이 일하는 시간을 회사에서 공식적으로 구매한 것이나 마찬가지이기 때문에, 근무시간 동안에는 쓸데없는 개인적인 일을 하지 말고 회사나 경영자가 요구하는 기준에 맞춰 일하는 것이 바람직하다.

그렇다면 우리가 조직생활을 하면서 급여, 특히 연봉제와 월급제의 개념을 제대로 구분해 이해해야 하는 이유는 무엇일까? 또한 이 두 개념이 기업경영에서 성과창출 메커니즘의 수준을 높이는 데 어떤 중요한 시사점을 지니는 것일까?

첫째, 시장 구도가 고객가치 중심의 무한경쟁으로 급속히 치닫고 글로벌화가 심화되면서, 기업들이 성과를 창출할 가능성이 점차 낮아지고 있다. 이에 따라 기업의 성과창출을 위한 새로운 메커니즘이 절실히 필요하게 됐다. 그중 한 축인 인적자원을 어떻게 운영하여 구성원들의 잠재역량을 발휘하게 하고 성과를 높일 것인가 하는 문제가 수익창출에 지대한 영향을 미치며, 이는 결국 성과를 전략적으로 관리하고 공정하게 평가하는 문제로 귀결된다. 즉 성과의 전략적 경영과 공정한 평가를 더 용이하게 할 수 있는 방법을 강구하는 과정에서 기존의 월급제를 보완 내지 대체할 수 있는 제도로 연봉제가 대두된 것이다.

둘째, 기업들의 외부 노동시장에 대한 의존도가 높아짐에 따라, 과거의 종신고용, 평생직장의 개념은 무너진 지 이미 오래다. 또한 우수한 인재에 대한 스카우트 경쟁이 치열해짐에 따라 각 기업들의 핵심인재들이 유출되거나 이동이 잦은 상황에 이르렀다. 이에 기업들은 기존의 월급제로는 더 이상 구성원들에게 동기를 부여하기 어려운 상황에 이르렀다고 판단하고, 이제부터라도 내부 구성원들에게 동기를 부여하고 몰입을 유인할 수 있는 무언가가 필요하다는 생각을 하게 됐다. 이에 따라 연봉제를 기업경영에 전략적으로 활용하는 것이 주요 이슈로 떠오른 것이다.

연봉제가 구성원들을 통제하고 감시하며 평가하기 위한 수단이라고 생각하며, 굉장히 부정적인 인식을 가진 이들도 있다. 하지만 오히려 월급제 하에서 구성원들이 주어진 시간 동안 상사가 시키는 대로만 일하고, 성과에 대한 책임은 관리자의 몫으로 남는 바람직하지 못한 현상이 일어날 가능성이 높다. 이때 구성원들은 자기완결형 성과책임자가 아닌 수동적인 종업원으로 전락하고 만다.

연봉제의 진정한 취지는 CEO를 대신해 사업을 수행할 수 있는 경영파트너를 육성하는 '사업가 보상'에 있다. 흔히 조직구성원은 최소 연봉의 3배 정도를 벌어야 한다고 말한다. 기본적으로 자신의 인건비 외에 회사의 자원 활용과 관련되는 간접비를 상쇄하고 회사가 재투자를 통해 성장할 수 있도록 부가가치를 부담해야 회사와 개인이 윈윈할 수 있다는 뜻이다. 따라서 회사의 구성원들은 진정으로 자신이 회사의 사업 파트너로서 역할을 충실히 수행할 수 있도록 경쟁력을 갖추기 위해 최선을 다하고, 회사와 자신 모두에게 도움이 되는 방안이 무엇인지 모색해야 한다.

성과급제 vs 성과배분제

이렇게 정기적으로 받는 연봉 말고 급여를 구성하는 또 다른 항목이 있는데, 바로 '성과급제'와 '성과배분제'다. 성과급제成果給制, incentive payment system는 '조직 혹은 개인의 목표대비 달성도를 기준으로 삼아 추가적으로 구성원을 동기부여하기 위한 메커니즘'의 성격이 짙다. 즉 성과급이란 '구성원들의 시장가치에 업무수행의 달성도를 반영해, 그 결과를 놓고 추가적으로 지급하는 것'이라고 보는 것이 보다 정확할 것이다.

한편 성과배분제成果配分制, payment by the result system는 '조직의 성과, 즉 이익에 기여한 부분을 인정해주는 것'으로 비용절감이나 초과이익에 대한 개념을 바탕으로 접근하는 방식이다. 대표적인 성과배분제로는 PSprofit sharing와 GSgain sharing가 있는데, PS란 애초의 목표에서 초과로 달성한 부분에 대해서 별도의 보상을 해주겠다는 아웃풋 중심의 제도를 말한다. 반면 GS는 애초에 목표를 달성하기 위해 책정된 비용을 절감하며 목표를 달성했다면, 투입된 비용에서 예산 대비 절감한 금액을 바탕으로 추가적인 보상을 해주겠다는 인풋 중심의 제도를 의미한다.

성과급제와 성과배분제는 조직이나 개인의 잠재력과 역량을 최대한 촉발해 원하는 성과를 얻는 데 큰 역할을 담당할 수 있다. 구성원들의 자발성에 호소해서 스스로 동기부여를 하도록 이끌어내는 방법도 있지만, 조직과 개인이 이루어낸 성과의 일부분을 공유하는 것만큼 향후 성과창출을 위해 큰 도움이 되는 것도 없다.

아울러 성과급제를 보다 효율적이고 체계적으로 운영하기 위해서는 성과보상을 위한 전략적인 목표설정과 함께 보상 시스템의 기초를 이루는 정책, 그리고 이를 연계시키기 위한 구체적인 성과급 기법들에 대해 총체적으로 고려할 필요가 있다. 특히 성과급제는 개인의 성과를 임금인상에 연계해 조직의 성과를 향상시키려는 제도다. 그렇기 때문에 무엇보다 성과에 대해 최대한 객관적이고 공정한 기준을 사전에 합의하고, 실행에 필요한 자원지원과 실행권한을 위임하는 것이 중요하다.

관련된 사례를 한번 살펴보자. 성과배분제의 대표적 제도인 PS를 적용하고 있는 어느 골프용품 회사에서 영업이익 목표를 100억 원으로 잡았다고 가정해보자. 그런데 올해 120억 원의 영업이익을 거둬 목표를 초과 달성했다면, 사전에 합의한 기준에 의해 초과수익 20억 원의 일정 부분에 대해 내부 구성원들과 배분할 수 있을 것이다.

또 다른 사례를 보자. 한 컴퓨터 판매회사의 직무별 평균 급여를 살펴보니 마케팅팀 5,000만 원, 인사팀 4,000만 원, 경영지원팀 3,000만 원 정도의 수준이었다. 그런데 실제로 해당 팀에서 일정 기간 동안 거둔 성과를 놓고 보니 마케팅팀은 평균 5,000만 원, 인사팀 6,000만 원, 경영지원팀 8,000만 원의 가치가 창출됐다고 한다면, 애초에 직무가치에 따라 선정한 평균 급여와 다른 결과가 나타났다고 할 수 있다. 이때 성과급제를 도입하면 시장가치에 따른 평균 급여 기준과는 별도로 실제 성과에 따라 추가적인 보상을 할 수 있게 된다.

성과급이나 성과배분제의 특징 중 하나는 보상기준은 사

전에 결정되지만 구체적인 보상총액이나 조직별, 개인별 금액은 사후에 결정된다는 점이다. 즉 실질적으로 사전에 합의된 성과가 창출되어야 보상액이 지급된다는 것이다. 이때 주의해야 할 것은 성과급은 회사차원의 이익창출 여부와 상관없이 사업부나 팀, 개인에게 회사에서 사전에 부여한 성과목표의 달성정도에 따라 지급된다는 것이다. 반면 PS와 GS 프로그램에 따른 성과배분금액은 반드시 사전에 약속한 회사차원의 초과이익이 창출되어야 그 정도에 따라 지급할 수 있다.

이와 같이 성과급 성격의 보상은 사전에 보상의 기준이나 규모를 가정해서 결정할 수 있지만 실질적인 지급여부를 결정하는 것은 성과가 나온 후이기 때문에 임금인상에 따른 인플레이션을 방지할 수 있고, 별도 예산을 책정하는 큰 무리 없이 성과 향상을 모색할 수 있다는 장점이 있다.

총 보상

최근 급여를 포함한 구성원들의 동기부여 수단에 대한 새로운 시각이 조명받고 있다. 과거에는 금전적 보상만을 강조했던 데 비해, 최근에는 보상의 종류와 방법이 다양해지는 추세다. 즉 조직이 목표하는 성과를 얻기 위해 구성원의 만족, 직무몰입, 동기부여 등이 중요해짐에 따라 금전적 보상과 비금전적 보상을 총체적인 관점에서 실행해야 한다는 '총 보상 總報償, total rewards' 관점이 설득력을 얻는 추세다.

1997년 외환위기를 경험한 우리 기업들은 한동안 회사가 원하는 방향으로 구성원들을 빠르게 변화시킬 수 있는 강한 동기요인을 탐색하는 데 몰두했다. 그러나 회사가 지나치게 목표달성에 집착하다 평가에 대한 불신 등 구성원들의 불만을 야기하는 여러 가지 부작용을 낳았다. 따라서 이러한 부작용을 최소화하고 긍정적인 효과를 극대화하기 위해서 구성원들의 의욕을 고취하고 로열티를 강화하는 다양한 보상 방안들을 활용하기 시작했다. 성과급 등의 금전적인 보상과 더불어 급여 외적인 비금전적 보상을 함께 고려하며, 지속적인 성장문화를 형성하기 위한 노력이 필요하다는 데 공감대가 형성되면서 금전적 보상과 비금전적 보상을 아우른 총 보상 개념이 주목받게 된 것이다.

《경쟁에 반대한다》의 저자로 널리 알려진 교육심리학자인 알피 콘Alfie Kohn은 조직구성원들이 권한을 부여받고 협력할 수 있는 환경과 개인의 성장을 위한 잠재력을 개발하도록 돕는 환경 개발에 조직이 더 많은 시간을 투자할 것을 촉구했다. 이는 구성원들에게 보다 많은 비금전적 보상을 경험할 수 있게 하는 조건들이기도 하다. 그는 특히 임금으로 대표되는 금전적 보상이 구성원들의 궁극적인 동기부여 요인은 아니기 때문에, 금전적 보상에 치우칠 것이 아니라 비금전적인 보상을 받을 수 있도록 조직과 직무를 설계하는 것이 중요하다고 주장했다.

비금전적 보상은 직무를 수행하는 데서 오는 성취감, 자기만족, 자긍심과 같은 형태를 띠며, 이는 구성원들에게 보다 큰 직무 만족을 제공함으로써 조직의 성과에 중요한 영향을 미치는 요인이 된다는 것이다. 비금전적 보상 중 하나인 관계적 보상으로는 교육훈련 기회 제공, 인정과 포상, 고용안정, 도전적인 직무부여 등이 있으며, 직접적인 보상은 현금에 의한 보상으로 기본급과 성과급, 상여금 등을, 간접적인 보상으로는 복리후생, 보험, 휴가 등을 들 수 있다.

비금전적 보상의 종류와 내용에 대해 좀 더 알아보자. 가장 보편적으로 기업들이 설계할 수 있는 보상은 승진 및 사내충원제도와 같은 이동 관리 측면의 보상이다. 일반적으로 어려운 직무로의 이동이나 역할 중요성의 증가는 급여인상을 동반하는 경우가 많다. 또한 성과가 좋은 사람들에게 먼저 도전적인 직무수행 기회를 부여하면 소속감을 높이는 계기가 될 수 있다. 구성원들이 소집단을 구성해 팀워크를 바탕으로 현장의 실제 문제를 해결하도록 하는 학습 지원도 구성원들의 동기를 부여하고 역량을 높일 수 있는 비금전적 보상이다.

경력개발 기회를 제공해 조직의 욕구와 개인의 성장 욕구가 합치될 수 있도록 지원하는 것도 비금전적 보상에 속한다. 다양한 커뮤니케이션을 활용해 구성원들을 인정해주거나 멘토링 등을 지원해주는 것이 좋은 예다. 그 외에 연구의 자율성을 부여한다든가, 맞춤식 교육훈련을 제공한다든가, 또는 카페테리아 형식의 복리후생 프로그램을 제공하는 등 다양한 형태의 비금전적 보상제도가 활성화되고 있다.

예를 들어 IBM이나 KT의 경우 '모바일 오피스 근무제도'를 통해 출퇴근 시간을 절약해 개인의 생산성 제고를 모색하고, 융통성 있는 근무를 통해 구성원의 사기를 앙양하고자 노력하고 있다. 또한 존슨앤드존슨은 '안식휴가제도'를 통해 업무 효율성 제고를 위한 재충전의 기회를 제공하고 있다. 한미글로벌도 파격적인 안식휴가제도를 통해 구성원의 창의적인 아이디어 생성과 생산성 향상을 독려하고 있다.

금전적 보상이 구성원들에게 동기를 부여하고, 우수한 인재를 확보하고 유지하는 중요한 수단이라는 데는 이견이 없다. 그러나 금전적 보상 못지않게 구성원들의 역량개발, 경력개발의 기회 제공, 인정 등과 같은 비금전적 보상도 중요하다는 점 또한 부인할 수 없다. 기업들은 보다 자유로운 커뮤니케이션 속에서 구성원들이 책임의식을 가지고 일할 수 있도록 가능한 많은 권한을 부여하고, 적극적으로 조직에 참여할 수 있는 환경을 조성해야 한다. 많은 기업들이 금전적 보상이외의 분야에 관심을 기울이는 이유는 바로 여기에서 지속적인 기업 경쟁력이 솟아나기 때문이다.

연말이면 어느 기업에서 직원들에게 얼마의 성과급을 지급해서 화제라느니, 어떤 회사가 실적이 저조해 올해에는 성과급을 지급하지 못한다느니 하는 기사를 자주 보게 된다. 이런 분위기에서 신입사원은 "선배님, 우리는 얼마나 받게 되나요? ○○회사는 연봉의 50%를 준다던데…", 또 어떤 이는 "크리스마스에 가족들을 위한 스키캠프도 열어준다고 하던데…" 등과 같이 회사에 대한 수많은 기대를 표현하게 된다. 이렇게 삼삼오오 모여 각자의 기대와 상상을 종합하다 보면 자신이 속한 회사가 너무도 초라하고 한심한 듯하여 실망하기도 한다.

급여는 자신이 제공한 노동의 대가로서 당연히 보상받아야 한다. 그러나 금전적 보상을 챙기는 것만이 전부는 아니다. 자신이 책임지고 있는 일을 통해 성취감을 맛보고, 회사내에서 존경하고 닮고 싶은 리더를 만나고, 무언가 배우고 싶은 선배나 동료와 일함으로써 느끼는 인간관계를 통한 안정감을 느끼고, 자기 실력을 통해 회사에 기여할 수 있는 가치를 찾는 것이 우리가 받는 급여를 더욱 의미 있게 하는 존귀한 가치가 아닐까.

목적을 알면
성과가 보인다

성과란 무엇인가

'목적한 바를 달성한 것'이다

컨설팅이나 강의를 진행하며 성과와 실적에 대해 많이 받는 질문 중 하나가 "성과와 실적이 같은 말 아닙니까?"라는 것이다. 수치로 혹은 무언가 눈에 보이는 형태로 설명할 수 있는 결과만 있으면 그것을 성과라고도 부르고 실적이라고도 부를 수 있지 않은가 하는 논리다.

그런 면에서 우리는 '성과'와 '실적'의 개념 차이에 대해 명확하게 짚고 넘어갈 필요가 있다. 우선 성과成果, performance는 '업무수행을 통해 목적하고자 하는 바를 이룬 상태' 또는 '기

성과 vs 실적		
성과		**실적**
• 업무수행을 통해 목적하고자 하는 바를 이룬 상태 • 애초에 기대한 목적을 이룬 정도	**VS**	• 수행한 업무량을 계량화한 것 • 해야 할 일을 열심히 수행한 결과

대하는 아웃풋output'이다. 한자어를 풀어보면 '이루어낸 열매, 과실'이라고 해석할 수 있으며, 영어 단어를 해제해보면 'per'에는 기준, 'form'에는 '모양, 형태'라는 의미가 내포되어 있다. 그렇기에 기대하는 아웃풋, 업무수행을 통해 얻고자 하는 결과물의 조감도鳥瞰圖라는 의미와 상통한다고 볼 수 있다. 이에 반해 실적實績, result은 '내가 수행한 업무의 양, 혹은 업무수행을 열심히 한 결과'를 의미한다.

개인은 물론이고 많은 조직들이 진정으로 목적한 바를 이루어 성과를 달성해야 함에도 불구하고, 실적을 성과로 오인한 나머지 애초에 전혀 원하지도 않던 결과를 놓고 성과라고 우기는 웃지못할 상황도 비일비재하게 발생한다.

'성과'와 '실적'의 관점에서 그 차이를 쉽게 비교할 수 있는 예를 한번 살펴보자. 내가 이번 학기에 얼마나 열심히 공부했는지 판단하는 기준을 정한다고 했을 때, 실적이라는 관점에서는 '투입 자원의 양'을 성과기준으로 잡는다. 즉 '공부 10시간', '출석률 100%' 등과 같이 업무수행의 양을 기준으로 자신이 한 일의 결과를 판단하는 것이다. 그러나 성과 관점에서는 '전공필수과목 A학점', '영어듣기평가 100점' 등과 같이 학점이나 과목별 성적의 형태로 성과기준을 정한다. 이는 공부한 시간보다는 공부를 통해 '하고자 하는 목적'이 무엇인가에 초점을 맞추어 생각함으로써 일하는 방식의 혁신을 통해 가치창출 수준을 높이는 것, 이것이 바로 성과라는 관점에서 지향하는 진정한 본질인 것이다.

그렇다면 이와 유사한 사례로 기업에서 구성원들의 역량을 강화하기 위해 매년 실시하는 '교육'의 경우, 어떠한 성과기준을 잡는 것이 바람직할까? 흔히 볼 수 있는 교육 횟수, 교육 시간, 면담 횟수, 과제 제출 건수 등과 같은 지표는 단지 자신이 얼마나 열심히 업무를 실행했는가를 판단할 수 있는, '열심히 모드'의 성격이 강한 업무수행 실적에 가깝다. 만약 구성원의 역량을 강화시키려는 의도가 구성원들이 고객 응대 업무처리에 드는 시간을 24시간 더 단축시키기 위한 것이었다면, 성과기준으로는 '업무처리 소요시간' 등이 더 적합하다고 할 수 있다.

성과주의 vs 실적주의

성과와 실적 중 무엇을 경영의 기본으로 삼느냐에 따라서 우리는 그 경영방식을 '성과주의', '실적주의'라고 부르는데, 뒤에서 자세히 살펴보겠지만 우선 이와 관련한 기본적인 철학에 대해서도 알아두는 것이 좋겠다.

성과주의成果主義, performance-based view와 실적주의實績主義, result-based view는 접근방법이나 철학적 기반이 현격히 다르다. 그러나 이러한 차이를 알지 못해 '성과주의는 구성원들을 통제하기 위한 것이기 때문에 결코 받아들일 수 없다'거나 혹은 '성과주의는 과정은 무시하고 결과만 따진다'며 저항하는 이들도 가끔씩 볼 수 있다. 그러나 단도직입적으로 정리하자면 성과주의가 구성원들을 통제하고 감시하기 위한 것, 과정과 절차는 무시하고 단지 결과만 중요시하는 것이라는 생각은 오해다.

성과주의란 업무수행을 통해 애초에 의도한 목적, 부가가치를 창조하는 것으로 '고객만족주의', '가치창조주의', '목적중심주의' 혹은 '자율책임경영주의'의 대명사 격으로 쓰인다. 앞서 이야기했듯, 성과주의에서 가장 중요하게 여기는 것은 부가가치가 창출됐는지 여부다. 즉 효율성과 효과성이라는 측면에서 가치가 창조됐는지를 강조하며, 이를 위해서는 고객의 니즈와 원츠를 명확히 파악해 이를 제품과 서비스에 반

성과주의 vs 실적주의		
성과주의		**실적주의**
• 아웃풋 중심 사고 • 부가가치창조에 관심 • '고객만족' 주의 • 공략해야 할 타깃 중심으로 전략수립	VS	• 인풋 중심 사고 • 일관리, 업무관리에 관심 • '했다'주의, '결과'주의 • 해야 할 일 중심으로 업무추진계획 수립

영하는 것을 중시한다. 일반적으로 성과주의 문화에서는 업무수행의 결과가 좋고 나쁨을 따질 때 네 탓, 남 탓하기보다는 '내 탓이오' 하며 자신이 기존에 수립한 성과목표 달성전략을 세밀하게 분석하고 논의하는 데 보다 많은 시간을 할애한다.

반면 실적주의는 정해진 절차나 위에서 시킨 대로 업무를 열심히 수행한 결과를 모아놓은, 실적을 중시하는 풍조를 의미하는 개념이다. 일명 '했다주의', '한탕주의', '건수주의'라고 표현되기도 한다. 실적주의에서는 업무수행을 통한 부가가치 창출의 측면보다는 주어진 일을 놓치지 않고 잘 관리했는지 공급자 관점에서 수행한 일의 양을 기준으로 판단한다.

조직이라면 예전에도 성과창출이 중요했을 텐데 그 당시에는 왜 업적이나 실적이라는 개념이 지배했을까? 그리고 최근 들어 성과라는 개념이 주목받는 이유는 무엇일까?

무엇보다 기존의 공급자, 생산자, 기업 중심의 시장이 수요자, 소비자, 고객 중심의 시장으로 재편된 데 가장 큰 이유가 있다. 공공기관이나 기업이나 할 것 없이 다양해진 고객의 니즈와 원츠를 충족시키기에는 기존의 중앙통제적인 경영 메커니즘에 한계가 있음을 느끼고, 고객 접점에 있는 구성원들의 전략실행 역량과 자기완결적 의사결정 권한이 높아져야 함을 인식한 것이다. 그리하여 어떻게 하면 이를 바탕으로 성과를 극대화할 수 있을까 하는 진지한 고민을 하기에 이르렀다. 아울러 수많은 이해 관계자들이 성과창출 프로세스에 관여하게 되면서 조직이 가야 할 목적지를 보다 명확하게 설정하고, 이를 달성하기 위한 전략과 방법을 창의적으로 찾아 실행해야 할 필요성이 생긴 것이다.

성과의 진정한 의미를 깨달으려는 노력과 시도는 무엇보다도 구성원들의 일하는 방식, 생각하는 방식, 행동하는 방식의 전환을 가져오는 데 큰 몫을 한다.

또한 단기적인 실적에만 집중하다 보면 미래의 성과를 위한 중장기적인 투자에 소홀해질 가능성이 있는데, 성과주의는 이를 예방하는 데 효과적이다. 성과주의는 궁극적으로 미래에 이루고자 하는 '비전' 달성을 염두에 두기 때문에, 구성원들이 중장기 성과와 단기 성과를 균형 있게 추구하며 꾸준히 필요한 역량을 갈고닦도록 독려한다.

결국 조직구성원들이 성과의 개념을 얼마나 이해하고 이를 고객 접점에서 얼마나 전략적으로 실천할 수 있는가가 원하는 성과를 달성할 확률을 높이는 핵심이자, 궁극적으로 기업 성패를 좌지우지하는 요소라 할 것이다.

과정주의 vs 결과주의

아울러 성과와 실적의 본질에 대해 좀 더 깊이 이해하기 위해서는 '과정주의'와 '결과주의'를 함께 고찰할 필요가 있다. 과정주의는 최종 결과도 물론 중요하지만 성과창출 과정을 반복적으로 재현할 수 있는 것 자체를 중요한 경쟁력으로 본다. 그러기 위해서는 최종 아웃풋에 이르기까지의 과정을 마치 투명한 유리박스 안을 들여다보듯 훤하게 꿰뚫고 있어야 한다. 하지만 막연한 과정주의는 '열심히 주의'와 별반 다를 것이 없다. 목표와 밀접한 상관관계가 있는 과정은 의미가 있겠지만, 목적과 다소 동떨어진 업무 과정은 의미가 없다.

이와 같이 성과창출과 밀접하게 관련 있는 선행 과정을 중요하게 계획하고 실행하는 것을 '전략적 과정주의'라 부르는데, 이것이 곧 성과주의다. 성과주의를 지향하는 기업에서는 구성원들이 먼저 성과목표를 구체적으로 확정하고 성과목표를 달성하기 위해 선택하고 집중해야 할 일을 스스로 찾는 분위기가 보편적인 일상이 되어 있는 것을 볼 수 있다.

반면 결과주의란 간단히 이야기해서 매출이나 시장점유율, 영업이익 등과 같이 숫자상으로 나타나는 최종 결과만을 중시하는 경향을 말한다. 얼핏 보면 조직의 단기 목표달성을 위한 역량을 집중하기에는 나름 장점을 가지고 있다고 할 수 있을지 모르나, 장기적인 안목이 없기 때문에 조직의 중장기 핵심역량을 구축하기 어려워져 지속적 경쟁우위를 상실할 우려가 있다.

17세 이하 여자 월드컵 축구대회에서 최고의 자리에 오른 여민지 선수의 사례를 살펴보자. 여민지 선수는 7년 동안 하루도 거르지 않고 그날 훈련한 내용을 꼼꼼하게 복기해 일기장에 적었다고 한다. 개선해야 할 단점과 지속적으로 유지해야 할 장점들을 꾸준히 분석하고 그에 따라 연습에 매진한 것은 두말하면 잔소리. 고작 열 살밖에 안 된 초등학생 때부터 이와 같이 남다른 과정을 거쳐왔기 때문에 세계적인 대회에서 훌륭한 성과를 낼 수 있었던 것이다. 또한 훌륭한 성과를 내는 과정을 오랜 시간 동안 체득했고, 치열한 반복적 연습을 꾸준하게 거쳤기 때문에 앞으로 큰 부상만 없다면 동일한 상황이 왔을 때 반복적으로 골을 터뜨리고 탁월한 성과를 낼 수 있을 것이다.

어렵게 일구어낸 성과를 어쩌다 일어난 한 번의 반짝 우연으로 끝내지 않기 위해서는, 최종적인 결과 못지않게 그 결과에 이르기까지의 과정 또한 중요하게 생각하고 성과창출 프로세스를 체질화하려고 노력해야 한다. 이것이 바로 성과의 의미를 제대로 이해하고 행동으로 실천하기 위한 출발점이자 '전략적 과정주의'의 핵심이다.

성과 모니터링

성과를 내려면 일정 기간 동안의 성과창출 전개 과정이나 발전 과정을 추적하고 관찰하는 것이 좋다. 즉 연간 성과목표를 분기 혹은 월간 목표로 쪼개서 경영하고 추적, 관리하는 '성과 모니터링'이 필요하다.

'쪼개놓은 사과가 먹기에 좋다'는 말도 있듯이, 연초에 설정해놓은 연간 성과목표는 분기 혹은 월간 성과목표 같은 과정목표로 잘게 쪼개고, 이를 목표 중심으로 꼼꼼하게 모니터링해야 그 과정들이 하나씩 쌓여서 연말에 원하는 성과를 달성할 수 있게 된다. 이렇게 하면 성과가 미진하더라도 당황하지 않고, 언제 어디에서 문제가 발생했는지 파악하여 이에 맞는 개선방안을 도출한 뒤 알맞은 시점에 적절히 대응할 수 있다.

이때 성과보다 실적이라는 개념에 쏠리게 되면 성과 모니터링이라는 긍정적 측면보다는 해야 할 일을 실행했는지 검사하고 통제하려는 데 집중하는 '업무감시', '업무체크' 같은 바람직하지 못한 현상들이 일어나게 된다. 각자 해야 할 업무의 수행여부 자체에만 관심을 갖고, 사사건건 업무진행 상황을 감시하고 통제하게 되는 것이다.

아무리 열심히 일했다고 해도 애초에 목표했던 상태에 도달하지 못했다면, 냉정하게 말해서 그 일의 실적은 좋을 수도 있으나 성과는 달성하지 못한 셈이 된다. 올바른 방향으로 전략을 실행해 성과를 달성하려면, 업무수행을 통해 달성해야 할 성과목표와 전략방향은 사전에 합의하되 실행방법에 관해서는 철저하게 구성원들에게 권한을 위임해야 한다. 그래야 구성원들이 자신의 고객에 대한 지식과 창의적인 생각을 결합할 수 있는 분위기가 만들어진다. 이것이야말로 회사에서 조직과 개인이 원하는 성과를 창조하기 위한 핵심요건이다.

전략이란 무엇인가

목표달성을 위해 공략해야 할
'타깃'과 '공략 방법'이다

전략戰略이란 '목표를 달성하는 데 가장 크게 작용하는 변수가 무엇이고, 이를 어떤 식으로 목표달성에 기여하도록 활용할 것인지에 대해 세부 타깃과 공략 방법을 결정하는 것'이다. 기업의 입장에서 전략이란 어떤 산업에 참여해야 하는가, 어떤 목표고객을 대상으로 할 것인가, 어떤 제품과 서비스를 제공해야 하는가, 자신이 보유한 자원을 어떻게 할당해야 하는가와 관련된 모든 의사결정을 의미한다고 봐도 무방하다.

흔히 전략과 함께 자주 쓰이는 개념으로 '전술戰術'이 있다. 전략이 목표를 달성하기 위해 장기적이면서도 전체적인 시각에서 방향과 계획을 수립하는 것이라고 한다면, 전술은 전략의 하위개념으로 전략을 수행하는 기술이나 방책을 의미한다. 예를 들어 전쟁에서 승리하기 위해 패배의 위험을 예방하고 유리한 위치를 선점하도록 전체적인 관점에서 정책적, 외교적, 군사적 책략을 수립하는 것은 '전략'이고, 전략을 수행하도록 전투 시 병력을 운용하는 기술 등과 같이 구체적으로 응용할 수 있는 지식과 방법은 '전술'이다.

사례를 통해 전략의 의미를 좀 더 명확히 파악해보기로 하자. 어느 회사의 CEO가 경영지원팀장을 불러서 이렇게 이야기했다. "강 팀장, 이번 임직원 가을 체육대회를 예년과 달리 좀 특색 있게 진행할 수 있도록 전략을 수립해보세요." 이러한 업무 지시를 받은 강 팀장 입장에서는 당장 무엇부터 명확히 해야 할까?

우선 전략을 세우기에 앞서 해야 할 것은 가을 체육대회를 특색 있게 진행함으로써 어떤 목적을 달성할 것인지, '성과목표'를 명확히 세우는 것이다. 강 팀장은 과거 몇 년간 이유야 어쨌든 임직원의 참여가 생각보다 저조했다는 점을 CEO가 마음에 담고 있음을 간파하고, 이번 체육대회에는 무엇보다도 필수 현장인력을 제외한 나머지 인원은 모두 참여할 있도록 '가을 체육대회 임직원 참여율 90%'를 성과목표로 잡았다. 그리고 제대로 목표가 설정되었는지 CEO와 확인하는 절차를 거쳐 성과목표를 확정했다.

성과목표가 확정됐다면 비로소 전략을 수립할 수 있는데, 이때 성과목표를 달성하는 데 핵심적인 요인과 예상되는 장애요인이 무엇인지 생각해 집중적으로 공략해야 할 타깃을 결정한다. 강 팀장은 작년 임직원 체육대회 참여율이 75%밖에 안 됐던 이유 중 하나로 임원들의 참여가 30% 수준에 그쳤다는 점을 파악하고, 직급(직책)별 계층에서의 핵심 참여 타깃을 '임원'으로 설정했다.

그리고 체육대회 구성요소를 기준으로 참석했던 사람들의 의견을 리뷰해보니 팀 단위 게임은 많이 있었으나 팀 구분을 제외하고 상하 간에 함께 참여할 수 있는 프로그램이 없어 임직원들이 참여하는 보람을 못 느꼈다는 의견이 많았다. 이에 따라 '상하 간 참여 프로그램 신설'이라는 요소를 프로그램 구성 내용 중 집중적으로 공략해야 할 타깃으로 설정했다.

또한 체육대회를 준비하는 인프라 측면에서 임직원의 참여를 높이려면 무언가 끌릴 만한 요소, 예를 들면 상품 등을 충분히 준비할수록 좋은데, 사전에 확보한 예산이 그리 넉넉지 않은 것이 장애요소가 될 수 있다는 판단에 '넉넉지 않은 예산'을 예상장애요인으로 타깃화했다.

이렇게 목표달성을 위해 집중적으로 공략해야 할 타깃을 명확하게 설정해놓으면, 그다음으로는 각각의 타깃을 공략하기 위한 세부 방법을 짜면 된다. 우선 임원들의 참석률을 최대한 높이기 위해 CEO와 임원이 함께 참여하는 '2인 1조 임원 공굴리기' 게임을 준비하고, 임원들에게 두 달 전에 미리 스케줄을 알려주는 등 사전 안내를 철저히 하기로 했다. 또한 상하 간의 화합을 위해 북과 꽹과리 등 신명나는 사물놀이를 동원해 전체 팀장들과 대리급 이하 사원들이 참여하는 '아리랑 동동' 게임을 준비하기로 했다. 마지막으로 예산은 이미 사전에 확보한 것이기에 변경이 어려우므로, 파트너 사의 협찬을 받아 현재 예산의 약 50%에 상당하는 상품과 기타 물품을 추가적으로 마련할 수 있도록 방향을 잡았다. 이러한 흐름과 같이 공략 타깃과 공략 방법을 결정하는 것이 전략이라고 보면 이해가 쉽다.

회사전략 vs 사업전략 vs 자원확보전략

한편 기업의 전략은 핵심내용이 무엇이냐에 따라 '회사전략會社戰略, corporate strategy', '사업전략事業戰略, business strategy', '자원확보전략資源確保戰略, resource strategy'으로 구분할 수 있다. '회사전략'은 어느 한 기업의 비전 및 중장기 사업의 포트폴리오를 포지셔닝하는 전략으로 전략 중 가장 상위 구조에 위치한다. 각 사업별로 경쟁자를 규명하고 타깃 고객에게 제공해야 할 제품과 서비스와 관련된 '사업전략'은 회사전략보다 하위에 위치하게 된다. '자원확보전략'은 이러한 사업들을 지원하기 위해 필요한 자원, 예를 들어 예산, 인력, 인프라 등을 어떻게 확보할 것인가와 관련된 전략을 일컫는다.

먼저 회사전략의 경우, 회사 차원에서 5년 또는 10년 후의 중장기적인 미래의 청사진을 조감도 형태로 구현하고 현재와 미래의 사업영역 및 사업 포트폴리오를 어떻게 구축할 것인가에 대한 방향을 정립하는 것에 초점을 맞춘다. 말 그대로 회사 전체 차원의 전략인 것이다. 예를 들면 회사의 미래 비전을 디자인한다거나 다각화 전략 등과 같이 어느 사업에 새롭게 참여하거나 혹은 철수하기 위한 수단을 강구하는 의사결정과도 관련되어 있으며, 회사 차원의 핵심역량이 무엇인지 규명하는 것도 이에 속한다.

사업전략은 현재의 비즈니스 도메인 상에서 우위를 점하기 위한 전략이라고 이해하면 된다. 즉 정해진 사업 내에서 현재와 미래에 지속적인 경쟁우위를 어떻게 유지해나갈 것인가에 관련된 전략이다. 사업전략을 수립할 때에는 기본적인 내·외부 환경 분석, 고객 분석은 물론이거니와 경쟁사를 염두에 두고 세부적이고 치밀한 분석을 실시해야 한다. 차별화전략, 집중화전략, 원가우위전략 등이 대표적인 세부 전략들이다.

좀 더 자세히 알아보자. 사업전략 중 중요한 한 가지가 '집중화전략'인데, 이는 특정 고객, 제품, 지역 등 특정한 세분화된 시장에 기업의 자원을 집중적으로 투입하는 전략을 말한다. 원가우위전략과 차별화전략의 경우에는 전체 시장을 대상으로 경쟁하지만, 집중화전략은 특정 시장만을 대상으로 한다. 따라서 집중화전략은 경쟁자와의 전면적 경쟁이 불리한 기업이나 보유하고 있는 자원 또는 역량이 부족한 기업에게 적합하다.

'차별화전략'은 제조업자가 특정한 시장에서 강한 정체성을 확립하기 위해 사용하는 마케팅 전략의 일종이며, '세분화전략'이라고도 한다. 특정 상품 군에 속하는 여러 가지 상품에 동일한 상표를 활용해 브랜드를 각인시키는 전략 등이 그 예다. 일반참치, 고추참치, 어린이참치 등 동일 상품군에 속하는 여러 종류의 상품에 '△△'라는 브랜드를 붙여 일관되게 광고하는 것이다.

'원가우위전략'은 경쟁기업이 제공하는 것과 동일한 제품과 서비스를 보다 저렴하게 제공함으로써 고객가치를 높

전략의 구조

회사 전략	• 현재와 미래의 사업영역 및 사업 포트폴리오를 어떻게 구축할 것인가?
사업 전략	• 정해진 사업 내에서 현재와 미래에 있어 지속적인 경쟁 우위를 어떻게 확보할 것인가?
자원 확보 전략	• 현재와 미래에 있어서 전략실행을 위한 경영자원을 어떻게 효율적으로 확보할 것인가?

이는 전략이다. 즉 동종 업계에서 가장 낮은 원가를 실현함으로써 경쟁우위를 확보하는 것이다. 자사의 경쟁력은 강화하고 경쟁기업의 경쟁력을 약화시키는 전략이라고 할 수 있다.

마지막으로 '자원확보전략'은 회사전략과 사업전략을 제대로 실행하기 위한 경영자원을 어떻게 확보할 것이며, 사업전략과의 전략적 일관성을 어떻게 유지할 것인가에 초점을 둔다. 대표적인 자원인 인력, 예산과 같은 경영자원의 우선순위를 조정하고 통합하는 것을 포함한다.

예를 들어 좀 더 자세히 살펴보기로 하자. 현재 칼국수 가게를 경영하는 Y사장은 꽤 안정적인 수입을 거두며 성공적으로 가게를 운영하는 자영업자다. Y사장은 5년 또는 10년 후에는 가게를 프랜차이즈화하기로 마음먹고 우선 내년에는 옆 가게를 인수해 현재 가게를 확장하고 3년 후에는 가까운 곳에 2호점을, 10년 후에는 5개의 직영점을 인근에 내겠다는 계획을 세웠다. 아울러 단계적으로 2년마다 칼국수 외에 만두, 냉면과 같은 특화 메뉴를 출시해 메뉴 다각화 계획도 같이 고려하고 있다면, 이는 회사 차원의 전략에 속한다고 볼 수 있다.

그런데 갑자기 인근에 다른 칼국수집이 생겨 초기에 소비자들을 유인하기 위해 엄청나게 낮은 가격으로 영업을 시작하자 Y사장은 어떻게 대처할 것인가 고민되기 시작했다. 직원들과 단골 고객들의 니즈를 분석하고 인근 경쟁 요식업체들과 비교 분석도 해본 결과, 가격은 그대로 유지하되 맛을 좀 더 차별화해 소비자들에게 경쟁자보다 가격 대비 품질이 우수하다는 점을 인식시키는 방향으로 정면 승부를 하기로 결정했다. 이는 일명 경쟁전략이라고 불리는 사업전략에 속한다.

그리고 가격 유지, 품질 향상이라는 사업전략을 실행하기 위해서는 밀가루와 호박, 감자와 바지락 같은 주요 식자재를 더 좋은 것으로 쓰되 원가를 낮춰야 했다. Y사장은 산지와 직접 계약을 맺어 방안을 마련하는 한편, 인근 교외에 사둔 땅을 활용해 재배 가능한 농작물을 직접 조달하기로 했다. 조립식 건물을 마련해 숙식 문제로 고민하던 60대 직원 1명에게 관리를 맡겨 그곳에 기거하며 오전에는 작농을 하고 오후 늦게 출근하도록 조치했다면, 이와 같은 전략을 자원확보 전략의 일환이라 할 수 있다.

또 다른 예를 들어보자. 젊은 여성 사업가인 J씨는 사무실이 밀집한 여의도의 한 상가에서 여성의류 사업을 시작했다. 그러나 직장인들이 대부분인 지리적 위치 때문에 점심식사 후 남는 자투리 시간을 이용해 잠깐 옷만 구경하고 지나가는 손님들이 대부분이었다. 현재의 사업영역으로는 도저히 지속적인 수익을 보장할 수 없었기 때문에, 사업영역을 변경해야겠다는 결론을 내렸다.

그래서 주변 상권 및 환경적인 요소를 분석해보니, 같은 건물에 입주한 상가들의 경우 주로 가정식 백반을 전문으로 하는 식당들이 많았다. 식사시간에 직장인들이 많이 모여서 북적거리기는 하는데, 서로가 1명의 손님이라도 더 받으려는 생각에 메뉴를 하나둘 추가해 점포당 메뉴 수가 평균적으로 10개가 넘었고, 다양해진 메뉴를 소화하기 위해 반 조리된 인스턴트 음식을 사용하는 가게도 많았다. 그래서 J씨는 자신이 만약 요식업을 할 경우, 인근 직장인들에게 제공할 수 있는 가장 큰 가치는 '건강'이라는 판단 아래 조미료를 절대 사용하지 않는 채식뷔페 전문점으로 사업 포트폴리오를 구성했다. 그리고 5년 뒤의 미래 비전과 중장기 목표를 구체적으로 잡아보았다. 이는 곧 회사전략이라고 할 수 있다.

그리고 가격은 주변 가게들의 한 끼 평균가격인 6,000원보다 약간 저렴한 5,500원으로 책정하되, 오히려 품질은 더 높여 이를 통해 경쟁력과 입소문을 확보하기로 했다. 아울러 한산한 시간에 식사를 하는 손님에게는 한 끼 식사를 4,000원으로 대폭 할인해 제공하는 이벤트를 실시하고, 한 달(30회) 이상 방문한 고객들에게는 회원 카드를 발급해 추가적으로 10%씩 마일리지를 적립해주기로 했다. 이렇게 가격 경쟁력은 확보했지만 수익도 고려해야 했기 때문에, 평소 알고 지내던 인근 농장의 K사장과 채소를 계약 재배해 원가는 낮추되 품질 경쟁력 또한 확보하려는 전략을 세웠다. 이는 바로 사업전략에 해당된다.

그리고 당장 초기 2년 정도는 만일의 사태에 대비해 원활한 현금 유동성을 확보해야 하는 까닭에 10여 년 정도 거래한 은행 지점장에게 부탁해 최대한 낮은 이율로 1억 원 정도의 자금을 대출받아 운용하기로 했다.

또한 가게 운영을 위해 필요한 인력 활용방안 역시 꼼꼼하게 수립했다. 우선 점포 총괄 매니저의 경우 5년 정도 경력이 있고, 식품영양학을 전공한 이를 최우선 타깃으로 하여 우수 인재를 확보하고, 홀 서빙은 아웃소싱 업체를 활용하기로 했다. 이는 바로 재무적 자원과 인적자원 확보 및 운영과 관련된 자원확보전략이라 할 수 있다.

전략에서 가장 중요한 것은 공략할 '타깃'을 설정하는 일이다. 즉 내가 원하는 성과목표를 달성하기 위해 공략해야 할 상대를 결정하는 것이 그 어느 것보다 우선해 집중해야 할 이슈다. 종전에는 경쟁자가 누구인가 결정하는 것을 전략의 핵심으로 보았지만, 이제는 단순히 경쟁자를 구분하는 것을 전략이라고 할 수 없는 초超경쟁 환경이 됐다. 그렇기 때문에 무엇보다도 목표고객 중심으로 전략을 수립하는 것이 핵심이다.

기업이나 개인의 전략과 성과 사이에 강력한 연결고리가 존재한다는 점에 동의한다면, 과연 전략이란 무엇이고 전략이 어떻게 만들어지는 것인가에 대한 이해가 매우 중요하다는 점에 대해서도 동의할 것이다. 효과적인 전략은 고객들의 니즈와 원츠를 만족시켜 줌으로써 새로운 가치를 창출하는 데 기여하기 때문이다.

결국 회사와 사업 차원의 성과목표를 달성하기 위한 전략

과 이를 실행하기 위해 요구되는 자원을 어떻게 활용할 것인
가에 대한 전략들이 유기적으로 잘 정렬될 때, 기업의 실행력
은 극대화되고 나아가 좋은 성과를 얻을 수 있다.

목표란 무엇인가

도달하고자 하는 지점의 '상태'와 '조건'이다

'내가 원하는 것을 생생하게 상상하면 꿈이 현실로 이루어진다'는 말이 있다. 사람들은 개인마다 정도의 차이는 있지만 자신이 이루고자 하는 모습을 그려놓고 모든 생각을 집중시킴으로써 그 모습에 가까워지려고 노력한다. 최종 결과물의 이미지를 선명하게 그려놓고 이에 집중하면 나도 모르는 사이에 잠재의식이 활성화되면서 점차 열정과 의욕이 생기고, 에너지가 솟아나게 된다. 이 말을 뒤집어보면 '언젠가는 이루어지겠지' 하는 막연한 기대만으로는 그 어떤 것도 달성할 수 없다는 뜻이 된다. 자신이 원하는 모습이 마치 건물의 조감도처럼 구체적으로 형상화되지 않으면, 무엇을 어떻게 해야 할지 실행방법을 알 수 없고 결국 실현가능성도 희박해진다.

이와 같은 측면에서 본다면 회사에서 어떤 업무를 하든 목표를 명확하게 세우는 것이 가장 중요하며, 그래야 성공할 확률이 높다는 점에 대해서는 누구나 동의할 것이다. 그렇지만 여전히 일을 시작하기에 앞서 목표 자체를 세우지 않는 사람들이 더 많은 것이 현실이다. 목표가 지니는 의미와 기대효과를 잘 몰라서 목표를 세우지 않는 경우도 있지만, 목표를 세우고 싶어도 그 방법이나 수립한 목표를 달성하는 방법을 몰라서인 경우도 많다. 또한 목표를 세운 이후의 긴장된 생활에 자신이 없거나 목표를 세운 다음 실패한 경험을 트라우마로 갖고 있기 때문에 목표를 세우지 않는 경우 역시 쉽게 찾을 수 있다.

목표目標, objectives란 '어떤 목적을 이루려고 지향하는 실제적 대상이자 최종 결과'를 의미한다. 많은 회사 내에서 회사목표, 팀목표, 개인목표 등 수많은 목표들을 수립하고, 이를 달성하기 위해 온 구성원들이 부단히 애쓰고 있다. 이는 목표가 그만큼 중요하기 때문이다.

그렇다면 목표란 어떻게 수립하는 것이 좋을까? 가장 기본적으로 기억해야 할 것은, 목표에 '해야 할 과제+측정지표+목표수준'이 포함돼야 비로소 외형적인 조건에서나마 목표라고 부를 수 있다는 점이다. 아직도 많은 회사나 직장 내에서 '조직 활성화', '리더십 교육 강화', '회계정보 시스템 구축' 등을 목표라고 착각하는 경우가 많은데, 이는 실행해야 할 업무방침인 과제이지 목표의 모습은 아니다.

목표라고 했을 때는 위에서 열거한 과제들을 바람직하게 수행함으로써 원래의 업무수행 목적을 달성했음을 판단할 수 있는 '지표'와 '수치목표'가 함께 포함돼 있어야 한다. 따라서 위에서 열거한 3가지 과제수행에 따른 목표를 제대로 설정한다면 '신입사원 퇴직 인원 5명 이내', '팀장 리더십 역량 지수 5점 상승'과 같은 형태로 표현할 수 있다. '회계정보 시스템 구축'의 경우, 만약 기존에는 월 마감을 하고 경영진에게 1주일 후에 월간 경영정보를 보고했다면 회계정보 시스템 구축을 통해 '경영진 월간 경영정보 보고 3일 이내로 단축'을 목표로 설정해야 비로소 목적한 바를 제대로 반영한 목표라고 평가할 수 있다.

1차적으로 목표로서의 기본 형태를 갖추었다면, 다음으로는 목표를 설정한 사람의 머릿속에 해당 목표의 세부 구성요소가 훤하게 입체적으로 조감될 정도가 돼야 비로소 목표를 제대로 정조준했다고 볼 수 있다. 앞서 설정한 '신입사원 퇴직인원 5명 이내'라는 목표에 지표와 수치목표가 다 포함돼 있으니 일견 구체적으로 잘 설정한 것 같지만, 사실 이 정도로 목표가 제대로 설정됐다고 단정하기는 이르다. 예를 들자면 그에 대한 세부 구성요소가 직무별, 부서별로 형상화돼 '마케팅팀 신입사원 2명 이내, 기획팀 신입사원 1명 이내, 디자인팀 신입사원 2명 이내'와 같이 구조화한다면, 훨씬 더 목표가 실감나게 다가오고 그만큼 목표를 달성할 가능성도 높아진다.

목표를 입체적 조감도 형태로 만드는 것은 목표를 현실화한다는 점 못지않게 리더와 구성원 사이에 공감대를 형성한다는 점에서도 의미가 크다. 아무리 작은 일이라도 함께 참여하면 구성원들도 책임감을 느끼게 되고, 목표를 달성하기 위해 노력을 배가하게 돼 있다. 반대로 아무리 잘 설정된 목표와 좋은 실행계획이라 하더라도 공감대가 형성되지 않고 겉돈다면 빛 좋은 개살구요, 속빈강정일 뿐이다. 목표라는 추상적 개념을 실체적 개념으로 이해하는 것은, 목표를 달성하기 위한 구체적인 노력을 가능하게 한다는 점에서 중요하다.

전략목표 vs 본연목표 vs 공헌목표

목표는 전략목표戰略目標와 본연목표本然目標, 그리고 공헌목표貢獻目標로 구분할 수 있다. 먼저 전략목표란 '상위조직으로부터 부여받은 성과목표'를 의미한다. 즉 상위조직의 성과책임에 기여해야 하는 업무로서, 당해 연도에 선택과 집중을 통해 반드시 달성해야 하는 중요한 목표를 의미하며 상위조직과 하위조직의 연계성이 중요하다는 점에서도 의미를 담고 있다.

본연목표란 '팀 혹은 개인이 존재하는 목적인 미션에 따라 팀이 고유하게 수행하는 일상 업무로부터 도출한 목표'를 말한다. 상위조직에서 해당 팀이나 개인에게 성과목표로 부여하지는 않았지만, 상위조직의 장長과 합의해 올해 가장 중요하게 추진해야 할 과제로 상위조직에 제안하는 것이 본연목표라 할 수 있다.

아울러 공헌목표란 '타 조직이나 타 부서의 성과목표 달성을 위해 해당 부서나 팀이 반드시 공헌해야 할 목표'를 의미한다. 부서나 팀별로 성과목표 달성전략을 수립하다 보면 다른 조직의 협조가 반드시 필요한 전략과제가 도출될 수 있다. 이때 도움이 필요한 팀이나 부서는 도움을 줄 수 있는 팀이나 부서에 공식적으로 협조를 요청해야 하는데, 도움을 요청받은 조직은 해당 전략과제를 전략목표와 본연목표 외에 자신

전략목표 vs 본연목표 vs 공헌목표	
전략 목표	상위조직(상사)으로부터 부여받은 성과목표
본연 목표	해당 팀 또는 개인의 성과책임에 따라 고유하게 수행해야 하는 업무로부터 도출된 목표
공헌 목표	타 부서 또는 동료의 성과목표와 연계된 목표

들이 달성해야 할 '공헌목표'로 설정하게 된다.

회사 전체 및 단위조직 차원에서는 매년 성과를 분석하고 역량을 어느 정도 발휘할 수 있는가를 항상 확인하며, 다가올 미래 환경을 예측해 민첩하게 대응해야 한다. 이를 위해서는 달성된 성과와 역량을 분석하고, 환경을 예측해 중장기 목표의 적합성을 검토하고, 목표를 수정해 전략 및 전략과제를 그에 맞게 재설정하는 작업이 수반된다. 그에 따라 보다 정교한 목표설정이 필요해졌고, 이에 전략목표, 본연목표, 공헌목표에 대해 명확히 알아야 할 필요성이 증대되고 있다.

우리는 회사 전체의 목표를 달성하기 위해 불협화음이 생길 수 있다는 리스크를 감수하면서도 사업부나 팀을 꾸려 업무를 배분해 일한다. 혼자서 할 수 없는 일이라면 일이 크든 작든, 어렵든 쉽든 간에 이 일은 누가 하는 것이 좋고, 저 일은 누가 더 잘할 것인가 등을 기준으로 나누게 된다. 이와 같이 조직 간 혹은 조직 내에서 업무를 어떻게 나누는 것이 좋을까를 고민할 때는 캐스케이딩cascading과 디바이딩dividing의 관점에서 생각해보는 것이 유용하다.

먼저 캐스케이딩은 '조직의 중장기 혹은 단기 성과목표를 성과목표 달성전략을 통해 하부 조직에 배분하고 전략을 수립하는 프로세스'를 의미한다. 반면 디바이딩은 '전체 목표를 n분의 1로 나눠 각 단위조직 및 구성원들에게 배분하는 것'을 말한다. 즉 단위부서 및 구성원들의 역량이나 업무특성, 타깃 등이 전혀 고려되지 않은 상태에서 단순하게 양적목표를 기계적으로 나누어 갖는 것이다. 캐스케이딩은 조직의 성과목표와 달성전략과의 유기적인 관계 속에서 팀과 개인의 역할을 배분하는 입체적인 관점을 유지하고 있는 반면, 디바이딩은 조직이나 구성원의 역할이 어떻게 분배됐는가 하는 결과에만 초점을 맞추는 다소 평면적이고 일차원적인 관점이다.

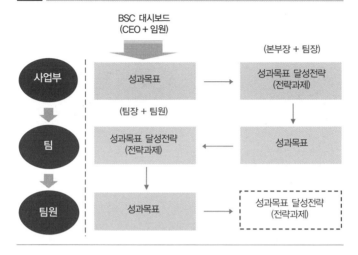

성공적인 연간 성과목표 캐스케이딩 프로세스

대다수 기업들이 아직도 '성과목표의 적정한 수준은 상위조직이 하위조직과 합의해야 하는 것'으로 오해하는 경우가 많은데, 이는 결코 올바른 관점이 아니다. 엄밀히 얘기해서 성과목표를 어떻게 달성할 것인가에 관한 성과목표 '달성전략'은 상위조직과 하위조직이 합의해야 할 대상이 되지만 성과목표의 '수준'은 결코 합의의 대상이 될 수 없다. 특히 성과목표는 반드시 상위조직에서 하위조직으로 부여한다는 개념에 대해 명확하게 알고 있어야 비로소 캐스케이딩에 대한 전략적 접근이 가능해진다.

성과를 극대화하고 구성원들이 스스로 책임을 지고 목표

를 달성하려면, 캐스케이딩 방식에 따라 보다 중요하고 전략적인 성과책임을 맡고 있는 리더가 먼저 성과목표를 부여하고top-down, 실무자인 구성원들은 이를 달성하기 위한 실행전략과 방법을 세운 후bottom-up 사전 합의과정을 거쳐 리더와 확정해야 한다middle-up-down.

정량적 목표 vs 정성적 목표

아울러 목표를 설정할 때는 목표를 최대한 정량적으로 만들어야 한다. 정량적 목표란 '평가기준을 객관적 수치로 명확하게 전환시킨 지표를 포함하고 있는 성과목표'를 의미하며, 대개 금액, 수량, 시간, 빈도, 건수 등과 같은 객관적 수치로 나타낸 지표를 적용할 수 있는 목표를 말한다.

고객들마다 좋아하는 매운맛의 정도의 차이가 크다는 점에 주목해, 매운맛을 총 12단계로 나눈 카레 전문점이 있다. 이 카레 전문점은 사람마다 주관적이고 정성적定性的이라고 할 수 있는 매운맛의 정도를 두루뭉술하게 일반화하지 않고 설정한 기준에 따라 12단계로 수치화해 정량적定量的인 형태로 만들었다. 고객들의 반응이 폭발적이었던 것은 당연지사. 구체적으로 계량화할 수 없거나 조감도 형태로 나타내기에 불가능한 정성적 목표란 없음을 보여주는 예다.

좀 더 단정적으로 이야기한다면 모든 목표란 정량적 목표로 나타내는 것이 좋다. 정성적 목표와 정량적 목표의 개념을 제대로 구분해 이해하고, 리더와 구성원 간에 달성해야 할 아웃풋 이미지를 명확하게 공감할 수 있도록 하는 것이 중요하다.

한편 정성적 목표란 연구개발 업무와 같이 '그 결과물이 눈에 명확하게 보이지 않는 업무나 혹은 처음으로 시도하는 업무에 한해 부분적으로 만족도, 충실도, 진행도(혹은 진척도) 등의 지표를 적용할 수 있는 성과목표'를 말한다. 대개 단계 구분 척도로 성과를 측정한다. 쉽게 비유해서 말하자면 정성적 목표는 꼭 필요한 해당 성분이 '들어 있는지' 여부를, 정량적 목표는 들어 있다면 '얼마나 들어 있는지'를 목표달성의 기준으로 삼는다고 할 수 있다.

성과목표를 설정하는 과정에서 실제 수행해야 할 핵심과제를 성과목표에 반영해야 함에도 불구하고, 단순히 정량적으로 수치화하기 좋은 목표만을 자신에게 유리하게 설정하려는 경우가 종종 있다. 또한 정성적 목표를 설정하려고 해도 그 목적지를 정확하게 짚지 못하는 경우 역시 발생한다. 즉 중요하게 선택된 전략과제가 누락되기도 하고, 혹은 전략과제의 궁극적인 목적지가 제대로 설정되지 않는 경우가 반복되고 있는데, 이를 극복하는 것이 중요하다.

결국 회사 내 단위 조직이나 개인은 원칙적으로 목표가 갖는 의미와 중요성에 대해 공감하고, 객관적인 측정이 가능한 정량적 목표의 형태로 목표를 설정하려고 노력해야 한다. 부득이하게 정성적 목표를 사용하게 되더라도 앞서 이야기했듯 성과가 창출되기까지 비교적 오랜 시간이 걸리는 연구개발과 같은 특성화된 업무라든가, 혹은 처음 착수하는 업무에 한해 일시적으로 활용하는 것이 바람직하다. 또한 그렇다 할지라도 이를 최대한 변수화하거나, 객관적으로 측정할 수 있는 조건이나 상태를 명시해놓는 것이 좋다.

역량이란 무엇인가

성과를 내기 위한 '전략실행력'이다

배관공으로 열심히 일하며 가수의 꿈을 키운 청년이 서바이벌 오디션 프로그램을 통해 그 꿈을 이루어낸 이야기는 우리 모두에게 감동을 주었다. 그런데 만약 이 프로그램이 대학생들만 참여할 수 있는 대학가요제처럼 참가를 위한 일정 자격요건을 두었다면, 이 청년의 꿈은 이루어지지 못했을지도 모른다. 자격요건을 뒤로하고 가수가 될 수 있는 역량力量, competency, do-how, 즉 노래 실력이나 퍼포먼스를 통해서만 평가하도록 한 것이 이 청년이 꿈을 이룰 수 있었던 배경이자 이

프로그램의 인기 비결일 것이다.

　역량이란 '성과목표를 달성하는 데 가장 중요한 영향을 미치는 바람직한 행동특성, 혹은 개인이 업무를 수행하며 높은 성과를 올리기 위해 안정적으로 발휘되는 행동특성'을 의미한다. 역량을 높인다는 것은 마치 인체로 따지면 일을 하는 '근육'을 키우는 것과 같다. 즉 역량은 우연히, 또는 일회적으로 나타나는 성과와 관련이 있는 것이 아니라, 반복적이고 지속적으로 발휘되는 성과와 관련된 행동특성이다.

　역량은 'compete'를 어원으로 하며, 원래 심리학 전문용어로 리처드 보야치스Richard Boyatzis 교수에 의해 사용되기 시작했다. 'competency'라는 단어 자체는 'competence'의 옛말로 현대 일상 영어로는 그다지 많이 사용되지 않았으나, 최근 '성과'와 더불어 관심이 높아지고 있다.

　'역량'의 개념을 이해할 때 우리가 혼동하는 개념이 '능력'이다. 능력能力, capability, know-how이란 '과거의 경험이나 지식, 스킬과 같은 직무수행을 위한 기본자격요건'을 의미한다. 일정 규모 이상의 건축 사업 입찰을 받기 전에 발주처에서는 동종업계 몇 년 이상의 실적, 혹은 전년도 매출 몇 억 이상 등의 일정한 자격요건과 관련된 규정을 두는 경우가 많은데, 이와

역량 vs 능력		
역량		**능력**
• 성과창출에 가장 중요한 영향을 미치는 바람직한 행동특성 • '두하우' • 전략실행력	**VS**	• 업무를 잘 수행하기 위한 자격 요건 • '노하우' • 경력, 학력, 자격증 등

같은 것들이 자격요건 혹은 능력에 해당되는 요소다.

즉 역량이 아웃풋을 중시하는 개념이라면 능력은 다분히 인풋을 중시하는 개념이며, 역량이 실행과 관련한 바람직한 행동을 발휘하는 '두하우'에 중점을 두고 있다면 능력은 업무수행을 위한 '노하우'에 중점을 두고 있다.

피터 드러커는 역량에 대해 "어떤 사람의 목표달성능력과 그의 지능, 상상력 또는 지식수준 사이에는 그다지 상관관계가 없는 듯하다. 머리가 좋은 사람들은 뛰어난 지적 통찰력 그 자체가 바로 성과로 이어지지 않는다는 사실을 인식하지 못하고 있다. 지능, 상상력, 그리고 지식이 성과를 내는 데 필수요소인 것은 분명하지만 그런 요소들을 연결시키려면 목표달성능력이 필요하다. 지능, 상상력, 지식 자체는 성과의 한계를 설정할 따름이다"라고 역설했다. 즉 지능, 상상력, 지식과 같은 요소는 단순한 능력의 범주로 보고 있는 반면, 이를 기반으로 성과를 창출할 수 있는 연결요소로서의 목표달성 능력을 역량이라 해석하고 이것이 성과창출에 더욱 중요하다는 점을 강조한 것이다.

그렇다면 우리가 조직생활을 하면서 '역량'과 '능력'의 개념을 명확히 구분해 이해하고, 능력보다 역량이 탁월한 인재로 성장해야 하는 까닭은 무엇일까?

과거에는 기업들의 경영 성과에 결정적인 영향을 미치는 것이 경쟁력 있는 제품이나 서비스였다. 품질 좋고 값싼 제품을 만들기 위해서는 숙련된 근로자가 필요했기 때문에, 장기 근속수당이나 자격증수당을 통해서 검증된 업무수행능력을 갖춘 구성원들을 우대했다. 그래서 구성원들이 행동으로 발휘하는 역량의 측면보다 학력과 경력, 자격증, 과거 경험 등과 같이 능력을 어느 정도 보유하고 있는가에 많은 관심을 가졌다. 더구나 많은 기업들이 역량과 능력이라는 용어를 구분하지 않고 혼용해 쓰다 보니, 앞서 이야기한 능력을 갖춘 인재가 마치 현재 우리가 말하는 역량 있는 우수한 인재라는 잘못된 인식을 가진 경우를 많이 목격할 수 있었다.

또한 능력을 갖추면 자연스럽게 역량을 갖추게 되는 것이고, 역량을 갖추면 전략을 세울 수 있으며, 전략을 세울 수 있으면 당연히 성과가 날 것이라는 막연한 논리를 가지고 일에 임하는 경우가 대부분이었다. 그러다보니 구성원들은 실제 현업에는 별 도움이 되지 않는 자격증을 취득한다거나 교육을 통해 직무지식을 쌓는 데만 관심을 가지게 됐고, 자신이 수행하고 있는 업무를 통해서 역량을 발전시키려는 기회는 극히 드물었던 것이 사실이다.

그러나 능력과 역량은 분명 다르다. 업무를 수행하기 위해 필요한 기본 자격증을 아무리 많이 가지고 있다 해도 실제로 성과목표를 제대로 달성하지 못하고 이에 필요한 바람직한 행동을 발휘하지 못할 경우, 우리는 흔히 능력은 있으나 역량이 부족하다고 말한다.

예를 들어 우리나라 국가대표 축구대표팀의 A매치 경기를 한번 생각해보자. 월드컵이나 올림픽 예선을 보다 보면 간혹 '축구 후진국'에게 불의의 일격을 당하고 충격에 빠지는 때가 있다. 사실 우리나라 대표팀의 경우 영국, 스페인, 일본 등 해외 명문 구단에 입단하는 선수들도 늘어나고 선수 각각의 기술이나 체력도 대단해졌다. 하지만 이렇게 예상치 못한 일격을 당하는 것은, 바로 선수들이 갖고 있는 능력이 감독이 의도하는 전략을 제대로 실행하는 데 발휘되지 못했기 때문이다. 즉 선수들이 실전에서 발휘해야 하는 역량은 이들이 보유하고 있는 능력과는 또 다른 별개의 문제라는 사실을 보여준다. 역량은 이와 같이 단순히 알고 있는 것know-how이 아닌 목표달성에 가장 중요한 영향을 미치는 바람직한 행동을 실천할 수 있는 것do-how과 관련돼 있다.

역량을 실제 행동으로 발휘했는지 여부를 파악할 수 있는 바로미터로 '핵심행위지표Key Behavior Indicator, KBI'가 있다. 핵심행위지표란 '바람직한 기대 행동을 구체적으로 측정 가능한 변수의 형태로 나타낸 것'으로, 전략적으로 실행에 옮기는 행동이 과연 '의도한 대로 집중적으로 행동하고 있는가'를 판단하는 기준이 된다.

즉 '핵심행위지표는 각 역량항목에 따른 특정 행동이 제대로 발휘됐는지 판단할 수 있도록 하며, 주요행위기준Critical Behavior Incident, CBI을 측정할 수 있는 지표다. 여기서 말하는 주요행위기준이란 역량평가 항목을 측정할 수 있는 구체적인 행동기준으로서, 업무수행 과정에서 요구되는 기대행동을 행위사례로 서술한 것이다.

핵심행위지표의 구비조건으로는 첫째, 주요행위기준을 관찰하고 평가한 결과를 입증할 수 있어야 하며, 둘째, 평가한 결과를 객관적으로 확인할 수 있어야 하고, 셋째, 리더와 구성원이 서로 합의할 수 있어야 한다.

예를 들어 '고객 컴플레인 대처'라는 전략과제가 있다고 가정해보자. 이를 위해서는 고객의 니즈를 지속적으로 파악하고 사전에 대응해야 하므로, 이를 수행하는 데 필요한 역량으로 '고객지향성' 등을 도출할 수 있다. 여기서 고객지향성을 '고객의 불만에 친절하고 신속하며 예의바르게 반응하고 문제를 해결함으로써 신뢰성을 구축하는 역량'이라고 정의해보자. 이때 업무수행 과정에서 요구되는 기대행동을 행위사례로 서술한 CBI는 '고객의 의사결정을 지원하는 정보를 사전에 제시하고, 요구 자료를 신속하게 피드백함으로써 고객과의 원활한 관계를 유지한다', '고객의 이해를 돕고 만족할 수 있도록 답변을 제공한다' 등으로 정할 수 있다. CBI를 제대로 달성했는지 여부를 판단하고 측정하는 KBI는 '매월 VIP 고객의 요구사항을 3건 이상 청취해 개선 아이디어를 제출한다' 등과 같이 설정할 수 있다.

요즘에는 개인 차원의 역량과 더불어 조직 차원에서 경쟁사가 쉽게 모방할 수 없으며 내부 다른 분야에 활용 가능한 희소가치를 지닌 '핵심역량core competency'도 중요하게 대두하고 있다.

핵심역량은 경영학의 대가인 게리 해멀Gary Hamel과 제이 바니Jay Barney가 주장하면서 관심을 받기 시작했으며, '기업 내부의 조직구성원들이 보유하고 있는 총체적인 기술, 지식, 문화 등 기업의 핵심을 이루는 경쟁상의 우위'를 의미한다. 즉 경쟁사가 쉽게 흉내 낼 수 없을 정도로 차별화된 것으로서 탁월한 성과를 가져오는 조직 차원의 독특한 특성인 것이다. 이들은 기업의 경쟁우위를 가능케 하는 핵심역량을 중심으로 새로운 사업공간을 전개하고 전략적인 의사결정을 해야 한다고 주장한다.

이러한 흐름에 발맞추어 과거 공급자 중심의 시장 환경과 단기 성과 중심의 경영방식에서는 구성원들의 보유능력을 중심으로 한 직무자격요건이 주로 언급됐지만, 현재와 같이 고객 중심의 시장 환경과 중장기 성과를 함께 중시하는 경영환경에서는 실행력을 강화하기 위해 행동기준을 회사 차원에서 표준화하여 전략적으로 활용하는 역량 모델링의 중요성이 부각되고 있다.

역량 모델

역량 모델이란 '성과목표 달성에 결정적인 영향을 미치는 바람직한 행동특성들을 일정한 기준에 의해 역량 항목으로 도출하고, 이를 체계적으로 분류해놓은 것'을 말한다. 역량 모델을 만들 때는 다른 조직의 모델을 무분별하게 도입해 사용하는 것보다, 자기 조직의 미래 비전과 중장기 전략을 감안해 우리만의 차별화된 모델을 구축하는 것이 바람직하다. 멋져 보인다고 일류 모델이 입고 있는 기성복을 사다 그냥 입는 것보다 자신의 체격과 이미지에 적합한 옷을 맞춰서 입는 것이 훨씬 더 멋진 것과 마찬가지다.

즉 조직이 지향하는 비전과 성과목표를 달성하기 위한 전략을 수립하고, 이를 달성하기 위해 필요한 바람직한 행동 관점에서 역량을 도출하는 프로세스를 준수해야 그 의미가 있다. 이러한 일련의 과정들이 연계성을 가지고 일직선상에 놓이게 되면, 도출된 역량을 통해 성과를 달성하게 될 가능성도 그만큼 높아진다.

인적자원 활용의 다변화와 구성원의 역량 결집을 모색할 수 있도록 하는 역량 모델은 인적자원경영의 여러 영역에 응용 가능한 정책 대안을 만들어가는 과정으로서도 매우 중요한 의미를 지닌다. 특히 인력운영계획, 배치, 교육훈련, 경력개발, 성과향상지원, 평가, 보상 등 인적자원경영의 전반적인 영역에서 의사결정을 하는 기초 자료로 쓰일 수 있으며, 전사적 차원뿐 아니라 팀 차원에서도 효과적으로 활용할 수 있다. 나아가 학습과 성장의 관점에서 향후 회사의 성장과 발전을 예측하기 위한 자료로도 유용하게 쓰일 수 있으므로, 관심을 기울여야 한다.

역량 모델을 구축할 때는 대개 '공통역량'과 '역할역량'을 중심으로 틀을 짜게 된다. 우선 공통역량이란 '전 구성원이 공통적으로 공유하고 기본적으로 발휘해야 할 역량'으로 조직이 중요시하는 가치를 실현하거나 바람직한 인재상을 구현하기 위해 실천해야 할 행동들을 모아놓은 것이며, 조직문화와도 밀접한 관계를 맺고 있다. 반면 역할역량은 '조직구성원이 각자의 역할에 따라 발휘해야 할 역량'을 의미한다. 조직 내 책임자로서 리더에게 요구되는 역할과 팀원에게 요구되는 임무와 역할이 다르듯, 수행해야 할 역할별로 갖춰야 할 역량을 구분하고 정의해놓는 것이 필요하다.

다만 소프트웨어 활용 기술, 고객 응대 기술 등 특정한 직무를 수행하는 데 필요한 세부적인 역량인 직무역량의 경우 매년 팀 혹은 개인의 성과목표와 연동해 달성전략이 바뀔 수 있기 때문에, 그때그때 현업 팀장들이 직무수행에 필요한 역량 항목들을 정해주고 거기에 맞춰 구성원들이 익히는 것이 바람직하다. 따라서 전사 주관의 역량 모델 구축에서는 일반적으로 제외한다.

이와 같은 관점에서 체계적으로 설계된 어느 기업의 역량 모델 구조를 예시로 들어보면 오른쪽의 표와 같다.

결국 회사마다 이루고자 하는 비전과 성과목표가 다르다는 것은, 각 회사마다 필요한 역량과 수준도 그에 따라 다르

역량 모델 구조		
역량 구분		**내용**
공통 역량		모든 구성원이 공통으로 공유하고 기본적으로 발휘해야 할 역량	• 윤리성 • 고객행복 • Self CEO …
역할 역량	**팀장**	팀장이 조직의 성과달성 및 팀원 육성을 위해 발휘해야 할 역량	• 의사결정 • 성과코칭 • 인재육성 …
	과 / 차장	전문지식 및 폭넓은 사고력을 바탕으로 주로 비정형적인 업무성과에 필요한 역량	• 조직관리 • 전문가 마인드 • 문제해결 …
	대리급 이하	직무경험을 바탕으로 매뉴얼화된 업무프로세스 실행을 위해 필요한 역량	• 팀워크 • 팔로워십 • 창의적 사고 …

다는 것을 의미한다. 따라서 역량 모델은 회사의 미래 비전과 중장기 전략, 현재 보유하고 있는 경쟁력의 수준을 감안하여 내부 구성원들이 합의하고 토의해 3~5년마다 업데이트하는 것이 좋다. 그리고 이를 채용, 평가, 육성 등 전반적 인적자원 경영시스템과 연계해 회사 성과를 극대화할 수 있는 전략을 추구해야 한다.

역량은 어쩌다가 한번 교육받고 학습한다고 해서 갑작스

럽게 향상되는 성질의 것이 아니라, 성과를 달성하기 위해 필요한 전략을 수행하는 과정에서 더 많이 길러진다. 즉 장기간에 걸쳐 축적되는 것이고 실제로 행동으로 실천해야 체질화되는 것이므로, 액션러닝action learning과 같은 생생한 문제해결과정을 다양하게 체험함으로써 원하는 행동특성들을 체질화하는 것이 중요하다.

더욱이 능력만을 갖춘 인재들로는 살벌한 생존경쟁에서 살아남을 가능성이 제로에 가까우므로, 조직은 역량을 발휘할 수 있는 인재를 육성할 수 있도록 인적자원 시스템과 일하는 방식을 혁신해야 하며, 개인들도 스펙 중심의 능력보다 역량을 체화하는 데 힘써야 한다.